세종
한국어

더하기 활동

3B

문화체육관광부
국립국어원

발간사

최근 전 세계인이 접하는 한류 콘텐츠의 규모가 늘어나면서 한류 문화가 확산되고 있고, 그 결과로 한국어를 배우고자 하는 외국인 학습자의 기세가 매우 놀랍습니다. 세계 곳곳이 코로나19로 침체기를 겪던 2021년에도 한국어능력시험 응시자는 30만 명을 훌쩍 넘었으며, 문화체육관광부의 세종학당은 2007년 13곳에서 2022년에는 84개국 244개소로 증가하였습니다. 이러한 한류의 지속적인 확산을 뒷받침하기 위해서는 한국어교육의 탄탄한 지원이 필요합니다.

한류 콘텐츠와 함께 성장하는 한국어교육의 토대를 다지기 위해, 문화체육관광부와 국립국어원은 2011년 처음 발간된 《세종한국어》를 새로 다듬기로 하였습니다. 2019년부터 기초 연구를 시작한 교재 개정 작업은 3년의 시간을 들여, 2022년 드디어 새로운 《세종한국어》를 펴내게 되었고, 이를 세종학당재단과 함께 알리게 되었습니다.

새롭게 개정된 《세종한국어》는 첫째, 세종학당 곳곳에서 한국어를 배우고자 하는 열의로 가득 찬 외국인 학습자 중심의 교재를 지향하였습니다. 둘째, 현지 세종학당의 학습 환경에 따라 유연하게 활용할 수 있는 맞춤형 교재로 정비되었습니다. 셋째, 한류 콘텐츠에 대한 외국인들의 관심을 내용에 반영함으로써, 한국어 공부에 대한 학습자의 부담을 낮췄습니다. 마지막으로 세종학당을 대표하는 표준 교재로서 구심점 역할을 담당하고, 이후의 한국어 학습을 위한 연계성도 잘 갖추었습니다.

세종학당은 한국어와 한국 문화로 한국과 세계를 연결하는 대한민국 대표의 국외 한국어교육 기관입니다. 국립국어원과 문화체육관광부는 앞으로도 세종학당재단과 협력하여 전 세계에서 한국어를 사랑하는 이들이 꿈을 이룰 수 있도록 지속적인 노력과 지원을 아끼지 않겠습니다.

끝으로 교재 개발을 위해 최선의 노력을 기울여 주신 연구·집필진과 출판사 관계자분들께 진심으로 감사의 말씀을 드립니다. 《세종한국어》의 새로운 출발과 함께 문화체육관광부와 국립국어원, 세종학당재단이 세계로 더 나아갈 수 있도록 여러분의 따뜻한 관심 부탁드립니다.

2022년 8월
국립국어원장 장소원

머리말

세종학당은 한국과 전 세계를 연결하는 한국어·한국 문화 보급 기관입니다. 이번에 개발한 교재는 상호 문화주의에 기반하여 한국어 학습에 대한 학습자의 흥미를 증진함으로써 한국어 의사소통 능력을 향상시키는 것을 목표로 하였습니다. 이를 위해 최근 한국의 상황을 적극적으로 반영하였고 최신 교수법을 구현할 수 있는 새로운 구성과 디자인을 적용하였습니다. 이를 통해 국외 한국어교육의 방향성을 새롭게 제시하고자 하였습니다. 개정 《세종한국어》의 구체적 특징은 다음과 같습니다.

첫째, 세종학당의 표준 교육과정인 가형, 나형, 다형 전 과정에 탄력적으로 활용할 수 있도록 '기본 교재'와 '더하기 활동 교재'로 구분하였습니다. '기본 교재'에는 해당 등급에 필요한 핵심적인 내용을 담았으며, '더하기 활동 교재'에는 심화·확장이 필요한 언어 지식과 의사소통 활동을 담았습니다. 이를 통해 다양한 학습자 특성에 맞게 교재를 선택하여 사용할 수 있도록 하였습니다.

둘째, 효과적 교수·학습을 위해 단계별로 단원 구성을 차별화하였으며 학습 내용 또한 언어 발달 단계에 맞는 교수 학습 내용과 절차를 적용하였습니다. 특히 다양한 삽화와 시각적 자료를 적극적으로 제시하여 한국어 학습의 흥미를 극대화할 수 있도록 노력하였습니다.

셋째, 교재 전반에 생생한 한국 문화 내용을 배치하여 학습자들이 상호 문화적 관점에서 한국 문화를 이해하고, 궁극적으로는 자국의 문화와 한국 문화에 대한 바른 태도를 형성할 수 있도록 하였습니다.

넷째, 교재와 함께 '익힘책', '교사용 지도서', '어휘·표현과 문법', 수업용 PPT와 같은 보조 자료들을 개발하여 교사·학습자의 요구에 맞게 교재를 활용할 수 있도록 하였습니다.

이 교재를 기획하고 개발하는 모든 과정에 함께해 주신 국립국어원과 현지 학당과의 협조와 지원을 아끼지 않으신 세종학당재단, 그리고 학습자들이 재미있게 한국어를 배울 수 있도록 멋지게 디자인해 주신 공앤박출판사에 감사의 마음을 전하고 싶습니다. 끝으로 3년이라는 긴 시간 동안 오로지 한국어교육에 대한 열정으로 좋은 교재를 만들어 내기 위해 애써 주신 모든 집필진께 말로는 다할 수 없는 깊은 감사의 마음을 전합니다.

2022년 8월
저자 대표 이정희

차례

1. 방학에 하는 활동과 관련된 어휘와 표현을 빈칸에 넣어 보세요.

> 외국어를 배우다   외국 문화를 체험하다   식당에서 / 도서관에서 / 마트에서 아르바이트를 하다
> 걸어서 여행하다   혼자서 여행하다   기차를 / 자전거를 타고 여행하다
> 뿌듯하다   보람을 느끼다   시간을 알차게 보내다   새로운 것을 깨닫다   잊지 못할 경험을 하다

어학연수	
아르바이트	
여행	

2. 여러분의 특별한 경험에 대해 배운 어휘를 사용해서 간단히 쓰고 이야기해 보세요.

1) | 내가 해 본 경험 |

2) | 구체적인 내용, 느낌 등 |

3. 다음 표현을 듣고 따라 해 보세요.
01

1) • 여름 방학에 봉사 활동을 한 적이 있어요.
   • 혼자서 한 달 동안 배낭여행을 한 적이 있어요.

2) • 아르바이트를 했을 때 힘들기도 했지만 보람도 많이 느꼈어요.
   • 어학연수를 갔을 때 힘들기도 했지만 잊지 못할 경험도 많이 했어요.

3) • 새로운 경험을 하면서 방학을 알차게 보냈습니다.
   • 외국어를 공부하면서 방학을 알차게 보냈습니다.

새 어휘 💡

외국어를 배우다
외국 문화를 체험하다
걸어서 여행하다
혼자서 여행하다
기차를 / 자전거를 타고
여행하다
뿌듯하다
새로운 것을 깨닫다

1. 다음 단어를 활용해서 문장을 완성해 보세요.

가다	보다	듣다
만들다	좋다	멋있다
비싸다		

1) 이 식당은 비싸**도** 인기가 많아요   .

2) _____ .

3) _____ .

4) _____ .

---

2. '-아도 / 어도'를 사용해서 다음의 문장과 <u>반대되는</u> 의견을 쓰고 이야기해 보세요.

1) 비가 많이 오면 여행을 안 가는 게 좋겠어요.

   ↔ 비가 많이 와도 여행을 갈 거예요   .

2) 음식이 매우면 못 먹어요.

   ↔ _____ .

3) 한국어를 모르면 한국 노래 모임에 참가할 수 없어요.

   ↔ _____ .

4) 수영을 못 하면 서핑을 배울 수 없어요.

   ↔ _____ .

---

3. 다음의 상황을 보고 '-아도 / 어도'를 사용해서 이야기해 보세요.

1) 점원 ― 나(손님)

   선물 받은 티셔츠의 사이즈가 작아서 교환을 하고 싶은데 영수증이 없습니다. 교환할 수 있는지 점원에게 물어보세요.

   > 점원: 어서 오세요. 무엇을 도와드릴까요?

   > 나: 이 티셔츠를 교환하고 싶은데요. _____
   > _____ ?

2) 친구 ― 나

   주말을 보내는 방법에 대해 친구와 <u>반대되는</u> 의견을 말해 보세요.

   > 친구: 난 주말에도 집에서 쉬는 게 좋더라고.
   >   아무것도 안 하고 푹 쉬는 게 제일 좋은 것 같아.

   > 나: _____
   > _____ .

1. 다음 단어를 활용해서 문장을 완성해 보세요.

| 쓰다 | 찾다 | 만들다 |

| 선물하다 | 돕다 | 읽다 |

| 듣다 |

1) 할머니께 따뜻한 목도리를 선물**해 드렸어요**   .

2) _____ .

3) _____ .

4) _____ .

2. '-아 / 어 드리다'나 '-아 / 어 주다' 중 알맞은 것을 사용해서 무엇을 했는지 쓰고 이야기해 보세요.

1) 친구의 생일이라서 친구에게 케이크를 만들어 줬어요   .

2) 오늘이 스승의 날이라서 선생님 _____ .

3) 할머니가 안경이 어디에 있는지 찾지 못하셔서 할머니 _____ .

4) 동생이 수학 공부를 어려워해서 동생 _____ .

3. 다음의 상황을 보고 '-아 / 어 드리다, -아 / 어 주다'를 사용해서 이야기해 보세요.

1) 선생님 — 나(학생)

   선생님의 부탁을 듣고 답을 해 보세요.

   > 선생님: 화분을 좀 옮기려고 하는데 도와줄 수 있어요?

   > 나: 네. _____ .

2) 선배 — 나(후배)

   선배가 과제를 할 때 필요한 책을 빌려 달라고 합니다. 선배의 부탁에 답을 해 보세요.

   > 선배: 혹시 한국의 역사 책 가지고 있어? 도서관에서 빌리려고 했는데 없더라고.

   > 나: _____ .

1. 안나 씨와 친구가 오랜만에 만나서 이야기해요. 다음을 잘 듣고 질문에 답하세요.

1) 안나 씨는 어느 회사에서 인턴 활동을 하고 있어요?

2) 안나 씨는 왜 그 회사에서 인턴을 하게 되었어요?

3) 안나 씨는 그 회사에서 무슨 일을 해요?

2. 다음을 잘 듣고 질문에 답하세요.

1) 들은 내용과 같으면 ○, 다르면 ✕ 표시를 하세요.

① 남자는 한국에 가서 봉사 활동을 했어요.   (   )

② 남자는 국제 영화제에서 한국어로 통역하는 일을 했어요.   (   )

③ 남자는 좋아하는 영화감독을 만날 수 있어서 뿌듯했어요.   (   )

2) 다시 들으면서 중요한 내용을 메모해 보세요.

3) 여러분이 한국어를 잘한다면 도전해 보고 싶은 특별한 일이 있어요?

1. 다음 글을 읽고 질문에 답하세요.

나를 위한 행복 여행, 템플 스테이

　템플 스테이는 절에서 한국의 불교 문화를 체험하는 프로그램입니다. 푸른 자연에 둘러싸인 아름답고 조용한 절에서 한국 불교의 역사와 문화를 만나 보세요. 바쁜 일상에서 벗어나 나를 찾는 여행을 떠나 보세요. 명상을 하면서 나에 대해 생각하고, 자연과 함께 편안한 휴식을 즐기는 시간. 템플 스테이에서 만날 수 있습니다.

〈템플 스테이 프로그램〉
1. **불교 문화 체험**: 절을 둘러보며 한국 불교의 역사와 문화를 배웁니다. 108배를 하며 생각을 비우고 마음을 채웁니다.
2. **명상**: 나에 대해서 생각하며 자신의 마음과 대화하는 시간을 가질 수 있습니다.
3. **차와 함께하는 대화 시간**: 절에서 생활하는 스님과 대화를 하며 서로의 고민과 생각을 이야기합니다.
4. **발우 공양**: 절에서 식사하는 방식을 체험합니다. 고기를 사용하지 않고 만든 음식을 먹습니다.
5. **연등 만들기**: 연꽃 모양의 등불을 함께 만들어 봅니다.

　1)　'템플 스테이'가 뭐예요?

　2)　'템플 스테이'에서는 무엇을 해요?

　3)　'템플 스테이'를 어떤 사람에게 추천하고 싶어요?

2. 여러분은 한국의 어떤 전통문화를 체험해 보고 싶어요?
　　이야기해 보세요.

새 어휘

둘러싸이다
명상
둘러보다
채우다

1. 아르바이트, 인턴 활동, 봉사 활동 등 여러분이 경험한 특별한 활동 중에 추천하고 싶은 것이 있어요?
아래 내용을 간단하게 메모해 보세요.

추천하고 싶은 활동	·
경험할 수 있는 일 (구체적으로)	· · ·
추천하고 싶은 이유	·

2. 메모를 보고 여러분이 추천하고 싶은 특별한 활동을 소개하는 글을 써 보세요.

3. 쓴 내용을 발표해 보세요. 다른 사람이 추천하는 특별한 활동에는 무엇이 있는지 메모하면서
들어 보세요.

제가 추천하고 싶은 활동은 ….

4. 다른 사람이 추천하는 특별한 활동 중 가장 해 보고 싶은 것은 뭐예요?

1. 팬클럽 활동과 관련된 어휘와 표현을 빈칸에 넣어 보세요.

팬 미팅	사인회	표를 예매하다	표가 매진되다
팬클럽에 가입하다	기념품을 구입하다	단체 응원을 하다	커버 댄스를 추다
감동적이다	인상적이다	환상적이다	푹 빠져 있다

콘서트 / 공연	

팬클럽	

콘서트 / 공연 소감	

2. 좋아하는 가수의 콘서트에 가면 무엇을 하고 싶어요? 배운 어휘를 사용해서 쓰고 이야기해 보세요.

좋아하는 가수의 콘서트에 가면 ....

....

3. 다음 표현을 듣고 따라 해 보세요.

1) • 콘서트를 실제로 보니 정말 환상적이었어요.
   • 한국 전통 공연을 처음 봤는데 정말 감동적이었어요.

2) • 그 배우를 가까이에서 봤는데 정말 멋있더라.
   • 그 친구는 멀리서 봐도 키가 크더라.

3) • 이번에 개봉한 그 영화 봤어?
   • 이번에 새로 나온 그 노래 들어 봤어?

새 어휘 💡

푹 빠져 있다

1. 다음 단어를 활용해서 문장을 완성해 보세요.

안 어울리다	실수하다	졸리다
어렵다	춥다	재미없다
무섭다		

1) 내일 발표에서 실수**할까 봐** 너무 걱정이 돼요   .

2) _____ .

3) _____ .

4) _____ .

2. 다음 대화를 '-(으)ㄹ까 봐'를 사용해서 완성해 보세요.

1) 가 : 어딜 그렇게 급하게 가요?

　 나 : 요즘 시험 기간이잖아요. 도서관에 자리가 없을까 봐 빨리 가야 해요   .

2) 가 : 뭘 그렇게 열심히 하고 있어요?

　 나 : 네. 내일 발표가 있는데 _____ .

3) 가 : 오늘 커피를 많이 마시네요. 무슨 일 있어요?

　 나 : 어제 늦게 자서 수업 시간에 _____ .

4) 가 : 어? 생각보다 일찍 왔네요.

　 나 : _____ 택시를 타고 왔어요.

3. 다음의 상황을 보고 '-(으)ㄹ까 봐'를 사용해서 대화해 보세요.

1) 친구 ― 나

친구가 커버 댄스 대회에 같이 참가하자고 합니다.
실수할 것 같은 마음을 이야기해 보세요.

> 친구: 우리 커버 댄스 대회에 참가해 보자.

> 나: _____ .

2) 직장 동료 ― 나

오후에 비가 올 것 같아서 우산을 가지고
왔습니다. 직장 동료의 질문에 대답해 보세요.

> 동료: 왜 우산을 가지고 왔어요? 지금 밖에 비 와요?

> 나: _____ .

1. 다음 단어를 활용해서 문장을 완성해 보세요.

비가 오다	덥다	작다
크다	아프다	비싸다
멀다		

1) 더울 **텐데** 시원한 음료수를 드릴까요 ?

2) _____ .

3) _____ .

4) _____ .

2. 다음 대화를 '-(으)ㄹ 텐데'를 사용해서 완성해 보세요.

1) 가 : 공연장에 사람이 많이 올 텐데 그 시간에 가면 늦을 것 같아요 .

　　나 : 그럼 일찍 가는 게 좋겠네요.

2) 가 : 이 집 떡볶이는 많이 _____ ?

　　나 : 괜찮아요. 매운 음식도 잘 먹어요.

3) 가 : 저녁에 다 같이 불고기 먹을까요?

　　나 : 아, 재민 씨가 고기를 안 _____ ?

4) 가 : 드디어 자격증 시험에 합격했어요.

　　나 : 정말 축하해요. 시험이 많이 _____ .

3. 다음의 상황을 보고 '-(으)ㄹ 텐데'를 사용해서 이야기해 보세요.

1) 친구 — 나

친구가 매운 라면을 먹으려고 합니다. 다른
음식을 먹으라고 이야기해 보세요.

> 친구: 이 라면 먹어 봤어? 많이 매울까?

> 나: _____
> _____ ?

2) 후배 — 나(선배)

후배하고 여행을 가려고 합니다. 기차표를
미리 예매하지 않으면 매진될 것 같습니다.
후배에게 이야기해 보세요.

> 후배: 기차표는 내일 예매해도 되겠지요?

> 나: _____
> _____ .

1. 주노 씨와 마리 씨가 커버 댄스 대회에 대해 이야기해요. 다음을 잘 듣고 질문에 답하세요.

1) 들은 내용과 같으면 ○, 다르면 × 표시를 하세요.

① 주노 씨는 마리 씨와 춤 연습을 했어요. ( )
② 커버 댄스 대회에서 1등을 하면 옷을 줘요. ( )
③ 주노 씨는 커버 댄스 대회에 참가하지 않을 거예요. ( )
④ 마리 씨는 춤을 잘 추지만 실수할까 봐 걱정이에요. ( )

2) 주노 씨는 왜 마리 씨에게 커버 댄스 대회에 나가 보라고 했어요?

3) 마리 씨는 왜 걱정하고 있어요?

2. 다음 뉴스를 잘 듣고 질문에 답하세요.

1) 커버 댄스 대회에 어떤 사람들이 참가했어요?

2) 여자는 이번 대회에서 몇 등을 했어요?

3) 남자는 왜 유새이의 인기가 대단하다고 생각해요?

4) 다시 들으면서 중요한 내용을 메모해 보세요.

5) 여러분도 좋아하는 가수와 관련된 활동이나 대회에 참가한 적이 있어요?

1. 다음 글을 읽고 질문에 답하세요.

블루 첫 미국 투어 성공적으로 끝마쳐

그룹 블루가 미국의 LA 공연을 끝으로 미국 투어를 화려하게 마무리했다. 블루는 12월 28일과 29일 미국 LA 드림 스타디움에서 첫 미국 투어를 펼쳤다. 이날 블루는 한국의 전통 옷을 입고 신곡을 부르며 무대에 나타났다. 팬들의 응원 속에서 〈사랑과 죽음〉, 〈처음처럼〉 등 히트곡들을 부르며 인상적인 퍼포먼스로 공연의 열기를 더했다. 특히 한국의 전통 악기로 연주한 음악에 맞추어 노래한 무대는 미국에 살고 있는 한국 팬들에게 감동을 주었으며, 외국인 팬들에게는 신선함을 주었다.

블루의 이번 공연에는 총 6만 명의 관객이 왔으며, 이들의 공연을 축하해 주기 위해 다른 한국 가수도 방문해 주었다. 미국 투어를 마친 블루는 "이렇게 큰 무대에서 공연을 할 수 있었던 것은 모두 팬들 덕분이다. 팬들과 함께 만든 공연이며, 열광적으로 응원해 준 팬들에게 정말 감사하다."라고 소감을 전했다.

1) 블루의 이번 미국 투어는 어땠어요?

2) 읽은 내용과 같으면 ○, 다르면 × 표시를 하세요.

① 블루는 이번 미국 투어가 처음이에요.　　　　　(　　　)
② 다른 한국 가수도 블루 콘서트에 왔어요.　　　　(　　　)
③ 블루의 무대는 한국 팬들에게 신선함을 주었어요.　(　　　)
④ 블루는 무대에서 한국의 전통 악기를 직접 연주했어요.　(　　　)

2. 여러분이 인상적으로 본 콘서트나 공연에 대해 이야기해 보세요.

1. 콘서트나 공연을 보고 여러분은 어떤 느낌을 받았어요? 왜 그런 생각을 했어요?
아래 내용을 간단하게 메모해 보세요.

콘서트 / 공연	
느낀 점	
이유	

2. 메모를 보고 콘서트나 공연을 보고 난 소감을 써 보세요.

3. 쓴 내용을 발표해 보세요. 다른 사람들은 어떤 콘서트나 공연을 보고 어떤 느낌을 받았는지
잘 들어 보세요.

저는 예전에 ….

4. 다른 사람이 발표한 공연 중에서 보고 싶은 공연이 뭐예요?

1. 다음의 맛이나 식감에 해당하는 음식을 써 보세요.

부드럽다	

얼큰하다	

매콤하다	

달콤하다	

담백하다	

2. 이럴 때 어떤 음식을 먹는 것을 좋아해요? 배운 어휘를 사용해서 쓰고 이야기해 보세요.

1) 스트레스를 받으면 _____ .

2) 감기에 걸리면 _____ .

3) 중요한 시험이 있는 날에는 _____ .

4) 데이트할 때 _____ .

3. 다음 표현을 듣고 따라 해 보세요.

1) • 싱겁게 먹는 것이 몸에 좋아요.
   • 아침에 일어나서 물을 마시는 것이 건강에 좋아요.

2) • 초콜릿과 같이 달콤한 음식을 좋아해요.
   • 케이크와 같이 부드러운 음식을 좋아해요.

3) • 부드러운 음식을 먹으면 속이 편안해져요.
   • 매운 음식을 먹으면 입안이 얼얼해져요.

새 어휘 💡

매콤하다

1. 다음 단어를 활용해서 문장을 완성해 보세요.

있다	먹다	일하다
놀다	행복하다	싸우다
좋다		

1) 오늘은 도서관에 갈 거예요. 내일 시험이 있**거든요**   .

2) 하루 종일 기분이 안 좋아요.   .

3)   .

4)   .

2. 다음을 할 때 꼭 필요하다고 생각하는 것이 뭐예요? '-거든요'를 사용해서 이유를 함께 써 보세요.

1) 한국으로 여행을 갈 때 _____ 이/가 필요해요.

_____ 거든요.

2) 등산할 때 _____ 이/가 필요해요.

_____ 거든요.

3) 처음으로 한국 요리에 도전할 때 _____ 이/가 필요해요.

_____ 거든요.

3. 다음의 상황을 보고 '-거든요'를 사용해서 이야기해 보세요.

1) 친구 ― 나

친구와 함께 휴가를 가려고 합니다. 친구와 가고 싶은 여행지에 대해 이야기해 보세요.

친구: 이번 휴가 때 어디로 여행 가고 싶어?

나: 나는 _____ .

_____ .

2) 손님 ― 나(점원)

나는 옷 가게에서 일하고 있습니다. 운동복을 사러 온 손님에게 옷을 추천해 주세요.

손님: 달리기할 때 입으면 좋은 옷 좀 추천해 주세요.

나: 이 옷 어떠세요? 왜냐하면 _____ .

_____ .

1. 다음 단어를 활용해서 문장을 완성해 보세요.

돌아가다	먹다	일하다
놀다	만들다	귀엽다
많다		

1) 이번 학기가 끝나면 고향으로 돌아가**는구나**   .

2) 시험이 있는데   .

3)   .

4)   .

2. 다음 그림을 보고 '-는구나 / 구나'를 사용해서 다양한 감탄 표현을 써 보세요.

1)

2)

3)

4)

3. 다음의 상황을 보고 '-는구나 / 구나'를 사용해서 이야기해 보세요.

1) 후배 — 나(선배)

후배가 취업에 성공했습니다. 후배에게
축하 인사를 전해 보세요.

후배: 선배, 저 이번에 취업했어요.

나: 와, 축하해. 취업하기 힘들었을 텐데 _____

_____ .

2) 조카 — 나(삼촌 / 이모)

조카가 피아노를 배운 지 일 년쯤 되었습니다.
조카의 피아노 연주를 듣고 감탄하는 말을
해 보세요.

조카: 삼촌, 내 피아노 연주 어때?

나: 대단하다. _____

_____ .

1. 수지 씨와 주노 씨가 맛집에 대해 이야기해요. 다음을 잘 듣고 질문에 답하세요.

1) 들은 내용과 같으면 ○, 다르면 × 표시를 하세요.

① 수지 씨는 맛집 찾아다니는 것을 좋아해요.   (   )

② 두 사람은 지금 맛집에서 밥을 먹고 있어요.   (   )

③ 주노 씨는 맛있는 음식을 먹기 위해 오래 기다린 적이 있어요.   (   )

2) '맛집'의 의미는 뭐예요?

2. 다음 대화를 잘 듣고 질문에 답하세요.

1) 두 사람은 무슨 이야기를 하고 있어요?

2) 한국 사람들은 언제 '시원하다'라는 표현을 사용해요?

3) 다시 들으면서 중요한 내용을 메모해 보세요.

4) 여러분 나라의 말로 '시원하다'는 어떻게 표현할 수 있어요?

1. 다음 글을 읽고 질문에 답하세요.

한국의 음식 문화

한국은 삼면이 바다여서 어업이 발달하였다. 또한 평야가 많은 서남부에서는 논농사를 짓고 산이 많은 북동부에서는 밭농사를 지어서 각종 곡물과 채소, 해산물 등 다양한 음식 재료를 쉽게 구할 수 있었다. 그래서 한국 음식은 재료가 다양하다.

한국 음식은 특히 곡물 음식이 많다. 전통적으로 농경 사회였던 한국은 곡물을 가장 중요하게 생각하여 쌀이나 보리 등 곡물로 지은 밥을 주식으로 먹었다. 그리고 콩으로 만든 간장, 된장 등의 곡물 발효 음식 역시 발달했다.

한국 음식은 주식과 부식이 뚜렷하게 구분된다는 특징도 있다. 한국에서는 식사할 때 보통 주식인 밥과 부식인 여러 가지 반찬을 같이 먹는다. 이때 국물이 있는 음식, 특히 뜨거운 것을 즐겨 먹기 때문에 식사할 때 반드시 수저를 사용한다.

그리고 이렇게 준비한 음식은 모두 한 상에 차려 놓고 먹는다. 음식을 한 가지씩 순서대로 먹는 서양의 식사법과는 다르다. 이처럼 한국 음식은 곡물을 주식으로 하고 각종 채소, 육류, 해산물로 다양한 형태의 반찬을 만들어 즐기면서 고유의 음식 문화를 만들 수 있었다.

1) 한국 음식 문화의 특징에 대해 요약해 보세요.

- 한국 음식은 재료가 다양하다_____.
- _____:
- _____.
- _____.

2) 여러분이 생각하는 한국 음식 문화의 특징에는 또 어떤 것이 있는지 이야기해 보세요.

2. 여러분 나라의 음식 문화의 특징에 대해 이야기해 보세요.

새 어휘 💡

삼면
어업
논농사
밭농사
주식
부식

1. 여러분은 기억에 남는 음식이 있어요? 아래의 표에 간단하게 메모해 보세요.

기억에 남는 음식	
음식과 관련된 정보	· · ·
그 음식이 기억에 남는 이유	· ·

2. 메모를 보고 여러분의 기억에 남는 음식에 대해 써 보세요.

3. 쓴 내용을 발표해 보세요. 그리고 다른 사람들은 어떤 음식에 대해 발표하는지 잘 들어 보세요.

4. 다른 사람이 이야기한 기억에 남는 음식 중 여러분이 가장 먹어 보고 싶은 음식이 뭐예요?

1. 식사나 요리를 할 때 사용하는 도구에 관한 어휘를 빈칸에 넣어 보세요.

칼	냄비	주걱	도마	국자
포크	그릇	접시	숟가락	젓가락
프라이팬	전기밥솥	가스레인지	전자레인지	

> **식사할 때**
>
> **요리할 때**

2. 다음의 조리법을 이용한 음식에는 어떠한 것이 있는지 써 보세요.

1) **을/를 볶다**   가지를 볶아요   .

2) **을/를 튀기다**   .

3) **을/를 굽다**   .

4) **을/를 찌다**   .

5) **을/를 데우다**   .

3. 다음 표현을 듣고 따라 해 보세요. 01

1) • 한국에서는 식사할 때 숟가락과 젓가락을 사용해요.
    • 한국에서는 밥을 먹을 때 숟가락을 사용해요.

2) • 구운 만두보다 찐 만두를 더 좋아해요.
    • 생 토마토보다 익힌 토마토가 건강에 더 좋아요.

3) • 차가운 밥을 전자레인지에 데워 먹으면 편리해요.
    • 고기를 자를 때 가위를 사용하면 편리해요.

새 어휘 💡

포크
숟가락
젓가락

1. 다음 단어를 활용해서 문장을 완성해 보세요.

사다	만들다	닫다
빌리다	쓰다	예약하다
넣다		

1) 등산할 때 먹을 샌드위치를 만들**어 놓았어요** .

2) ⋯⋯⋯⋯⋯⋯⋯⋯⋯⋯⋯⋯⋯⋯⋯⋯⋯⋯⋯⋯⋯⋯⋯⋯⋯⋯ .

3) ⋯⋯⋯⋯⋯⋯⋯⋯⋯⋯⋯⋯⋯⋯⋯⋯⋯⋯⋯⋯⋯⋯⋯⋯⋯⋯ .

4) ⋯⋯⋯⋯⋯⋯⋯⋯⋯⋯⋯⋯⋯⋯⋯⋯⋯⋯⋯⋯⋯⋯⋯⋯⋯⋯ .

2. 친구들과 크리스마스 파티를 할 거예요.
무엇을 준비해 놓았어요?
다음 그림을 보고 '-아 / 어 놓다'를
사용해서 알맞은 문장을 쓰고 이야기해
보세요.

1) 크리스마스 케이크를 사 놓았다 ⋯⋯⋯⋯⋯⋯⋯⋯⋯⋯⋯⋯ .

2) 친구들과 함께 먹을 맛있는 ⋯⋯⋯⋯⋯⋯⋯⋯⋯⋯⋯⋯⋯⋯ .

3) 친구들에게 줄 크리스마스 카드를 ⋯⋯⋯⋯⋯⋯⋯⋯⋯⋯⋯ .

4) ⋯⋯⋯⋯⋯⋯⋯⋯⋯⋯⋯⋯⋯⋯⋯⋯⋯⋯⋯⋯⋯⋯⋯⋯⋯⋯ .

3. 다음의 상황을 보고 '-아 / 어 놓다'를 사용해서 이야기해 보세요.

1) 친구 — 나

친구가 곧 한국으로 여행을 갑니다. 친구에게
무엇을 준비하면 좋을지 이야기해 주세요.

> 친구: 다음 방학에 한국으로 여행 가려고 하는데
> 뭘 준비해야 할까?

> 나: 우선 _____
>
> _____ .

2) 후배 — 나(선배)

후배가 취업 준비를 하고 있습니다. 후배에게
취업을 위해서 준비해야 하는 것을 이야기해
주세요.

> 후배: 어떻게 하면 선배님처럼 원하는 회사에
> 들어갈 수 있을까요?

> 나: 먼저 _____
>
> _____ .

1. 다음 단어를 활용해서 문장을 만들어 보세요.

| 보다 | 숙제하다 | 요리하다 |
| 운동하다 | 씻다 | 만들다 |
| 컴퓨터 하다 |

1) 한국어 숙제를 한 **다음에** ⋯⋯⋯⋯ 친구들과 축구를 하려고 합니다.

2) ⋯⋯⋯⋯⋯⋯⋯⋯⋯⋯⋯⋯⋯⋯⋯ 김밥을 먹을까 해요.

3) ⋯⋯⋯⋯⋯⋯⋯⋯⋯⋯⋯⋯⋯⋯⋯⋯⋯ .

4) ⋯⋯⋯⋯⋯⋯⋯⋯⋯⋯⋯⋯⋯⋯⋯⋯⋯ .

2. 다음 그림을 보고 '-(으)ㄴ 다음에'를 사용해서 문장을 써 보세요.

1) 스파게티를 만들어요.

 →  →

스파게티 면을 삶은 다음에 ⋯⋯⋯⋯⋯⋯⋯⋯⋯⋯⋯⋯⋯⋯⋯

⋯⋯⋯⋯⋯⋯⋯⋯⋯⋯⋯⋯⋯⋯⋯⋯⋯⋯⋯⋯⋯⋯⋯⋯ .

2) 여행을 갈 거예요.

 →

⋯⋯⋯⋯⋯⋯⋯⋯⋯⋯⋯⋯⋯⋯⋯⋯⋯⋯⋯⋯⋯⋯⋯⋯

⋯⋯⋯⋯⋯⋯⋯⋯⋯⋯⋯⋯⋯⋯⋯⋯⋯⋯⋯⋯⋯⋯⋯⋯ .

3. 다음의 상황을 보고 '-(으)ㄴ 다음에'를 사용해서 이야기해 보세요.

1) 발표 조원 — 나

수업 시간에 한국의 영화, 드라마에 대해 발표를 해야 합니다. 발표 조원과 발표 순서를 의논해 보세요.

조원: 내일 어떤 순서로 발표하는 게 좋을까요?

나: 음. ⋯⋯⋯⋯⋯⋯⋯⋯⋯⋯⋯⋯⋯⋯⋯⋯⋯⋯

⋯⋯⋯⋯⋯⋯⋯⋯⋯⋯⋯⋯⋯⋯⋯⋯⋯⋯⋯ .

2) 룸메이트 — 나

주말에 친구를 집으로 초대하기로 했습니다. 룸메이트와 해야 할 일을 의논해 보세요.

룸메이트: 주말에 친구들이 오잖아. 그 전에 우리는 뭘 준비해야 할까?

나: 먼저 ⋯⋯⋯⋯⋯⋯⋯⋯⋯⋯⋯⋯⋯⋯⋯⋯⋯

⋯⋯⋯⋯⋯⋯⋯⋯⋯⋯⋯⋯⋯⋯⋯⋯⋯⋯⋯ .

1. 안나 씨와 수지 씨가 한국 음식을 만드는 방법에 대해 이야기해요.
다음을 잘 듣고 질문에 답하세요.

   1) 두 사람은 지금 무엇을 해요?

   2) 들은 내용과 같으면 ○, 다르면 × 표시를 하세요.

   ① 안나 씨는 요리할 때 손맛을 중요하게 생각해요.　　　　　（　　　　）
   ② 수지 씨는 요리할 때 계량스푼을 사용하지 않아요.　　　　（　　　　）
   ③ 수지 씨는 친구에게 떡볶이 만드는 법을 배우고 있어요.　　（　　　　）

2. 다음을 잘 듣고 질문에 답하세요.

   1) '야식'이 뭐예요?

   2) '야식'의 안 좋은 영향에는 어떤 것이 있어요?

   3) 다시 들으면서 중요한 내용을 메모해 보세요.

   4) 여러분은 어떤 '야식'을 즐겨 먹어요? 이야기해 보세요.

1. 다음 글을 읽고 질문에 답하세요.

음식 궁합

두 사람의 성격 등이 잘 맞아 결혼하면 잘 살 수 있는지 알아보는 일을 한국에서는 '궁합을 본다'라고 합니다. 그런데 이러한 궁합은 음식에서도 중요합니다. 똑같은 음식도 함께 먹는 음식이 무엇인지에 따라 더 맛있게 느껴질 때가 있습니다. 그리고 두 가지 음식을 같이 먹었을 때 건강에 더 좋은 영향을 주기도 합니다. 이것을 '음식 궁합'이라고 합니다. 그럼 함께 먹으면 궁합이 좋은 음식에는 어떤 것이 있을까요?

먼저 토마토는 올리브유와 같이 먹으면 좋습니다. 그러면 토마토에 있는 영양분이 우리 몸으로 더 잘 흡수됩니다. 녹차는 고추와 같이 먹으면 좋습니다. 녹차는 다이어트에도 도움이 되며 암 예방에도 효과적입니다. 이러한 녹차의 효능은 고추를 함께 먹을 때 두 배가 됩니다.

잠이 안 올 때는 우유와 꿀을 같이 먹는 것이 좋습니다. 보통 밤에 잠이 오지 않을 때 따뜻한 우유 한 잔을 마시는 경우가 많습니다. 이때 우유에 꿀을 넣어 마시면 좋습니다. 꿀은 몸의 긴장을 풀어 주기 때문에 잠을 잘 때 도움이 됩니다. 초콜릿은 심장을 건강하게 만들어 줍니다. 이때 사과를 함께 먹으면 초콜릿의 효능이 더 높아집니다.

1) '음식 궁합'이 뭐예요?

2) 윗 글을 읽고 다음을 정리해 보세요.

궁합이 좋은 음식	효과
토마토와 올리브유	

2. 여러분 나라에서는 주로 어떤 음식들을 같이 먹어요? '음식 궁합' 이 좋은 음식에 대해 이야기해 보세요.

새 어휘 💡

궁합
올리브유
영양분
암
효능

1. 여러분이 잘 만들 수 있는 요리는 뭐예요?
여러분만의 요리책을 만들기 위해
아래 내용을 간단하게 메모해 보세요.

※ 요리 그림을 그리거나 사진을 붙이세요.

만들 수 있는 요리	
필요한 재료	
만드는 방법	· · ·

2. 메모를 보고 여러분만의 요리법을 글로 써 보세요.

3. 여러분이 쓴 요리법을 친구들과 바꿔서 읽어 보세요.

4. 친구들이 이야기한 요리법 중 가장 마음에 드는 것을 이야기해 보세요.

1. 실수의 내용과 관련된 어휘와 표현을 빈칸에 넣어 보세요.

잊어버리다	깜빡하다	잃어버리다	놓고 오다	두고 오다	넘어지다	부러지다
부딪히다	놓치다	떨어뜨리다	깨뜨리다	밟다	망가뜨리다	

날짜 / 약속 ....

우산 / 지갑 ....

버스 / 지하철 ....

컵 / 접시 ....

2. 여러분은 어떤 실수를 한 적이 있어요? 배운 어휘를 사용해서 쓰고 이야기해 보세요.

1) 가장 친한 친구의 생일을 _____ .

2) 설거지를 하다가 접시를 _____ .

3) 버스에서 _____ .

4) 길에서 뛰다가 _____ .

3. 다음 표현을 듣고 따라 해 보세요.
01

1) • 다음 주에 발표가 있는데 깜빡했어.
  • 숙제를 다 했는데 책상 위에 놓고 왔어.

2) • 늦잠을 자서 버스를 놓쳤어요.
  • 계단에서 넘어져서 팔이 부러졌어요.

3) • 지하철에 책을 놓고 내렸어요.
  • 친구 집에 핸드폰을 두고 왔어요.

새 어휘 💡

밟다
부러지다

1. 다음 단어를 활용해서 문장을 완성해 보세요.

오다	듣다	만들다
눕다	도착하다	졸업하다
끝나다		

1) 노래가 너무 좋아서 듣**자마자** _____ 외우게 되었어요.

2) _____ 다시 밖으로 나갔어요.

3) _____ 결혼한다고 해요.

4) _____ 전화할게요.

2. 여러분은 무엇을 가장 먼저 해요? '-자마자'를 사용해서 대화를 완성해 보세요.

1) 가: 아침에 일어나면 뭐 해요?

　나: _____ .

2) 가: 수업이 끝나면 뭐 해요?

　나: _____ .

3) 가: 방학을 하면 뭐 해요?

　나: _____ .

4) 가: 월급을 받으면 뭐 해요?

　나: _____ .

3. 다음의 상황을 보고 '-자마자'를 사용해서 이야기해 보세요.

1) 친구 ― 나

오늘 고향에 돌아가는데, 친구가 공항에 배웅을 왔어요. 헤어지면서 친구에게 인사하세요.

친구: 조심해서 가. 고향에 돌아가서도 자주 연락해.

나: _____
_____ .

2) 교수님 ― 나(학생)

오랜만에 교수님을 뵈러 갔습니다. 교수님과 졸업 후의 계획에 대해 이야기해 보세요.

교수님: 졸업하면 무엇을 할 계획이에요?

나: _____
_____ .

1. 다음 단어를 활용해서 문장을 완성해 보세요.

나오다	먹다	끄다
말하다	끝내다	가다
자르다		

1) 너무 화가 나서 친구의 잘못을 모두 말해 **버렸어요**   .

2) _____   .

3) _____   .

4) _____   .

2. 다음과 같은 상황에 여러분은 어떻게 했는지 '-아 / 어 버리다'를 사용해서 쓰고 이야기해 보세요.

1) 약속 장소에서 친구를 한 시간이나 기다렸는데 친구가 안 와요.

그래서 저는 _____   .

2) 친구가 내 비밀을 다른 사람에게 말했어요.

그래서 저는 친구한테 _____   .

3) 휴대폰을 2년 정도 썼는데 요즘 휴대폰이 계속 꺼져요.

조금 더 쓰고 싶었는데 _____   .

3. 다음의 상황을 보고 '-아 / 어 버리다'를 사용해서 이야기해 보세요.

1) 동생 — 나

배가 고파서 식탁 위에 있는 볶음밥을 먹었는데, 동생이 볶음밥을 찾습니다. 동생에게 사실을 이야기하고 사과해 보세요.

동생: 어, 아침에 볶음밥을 만들어 놓고 갔는데 왜 없지?

나: 미안해. 사실은 _____
_____   .

2) 부장 — 나

아침에 버스를 놓쳐서 지각을 했습니다. 부장님께 이야기해 보세요.

부장님: 지금 출근하는 거예요?

나: _____
_____   .

1. 재민 씨는 요즘 실수를 자주 해요. 다음을 잘 듣고 질문에 답하세요.

1) 들은 내용과 같으면 ○, 다르면 ✕ 표시를 하세요.

① 재민 씨는 오늘 마리 씨에게 실수를 했어요. （　　　）

② 재민 씨는 회의 자료를 준비하지 못해서 혼났어요. （　　　）

③ 재민 씨는 요즘 특별한 일이 생겨서 실수를 자주 해요. （　　　）

④ 재민 씨는 어머니 생신 때 어머니와 함께 파티를 했어요. （　　　）

2) 마리 씨는 재민 씨의 문제가 무엇 때문이라고 생각해요?

2. 다음 뉴스를 잘 듣고 질문에 답하세요.

1) '디지털 건망증'이 뭐예요?

2) '디지털 건망증'의 증상과 원인은 뭐예요?

3) '디지털 건망증'을 해결하기 위해 어떻게 해야 해요?

4) 다시 들으면서 중요한 내용을 메모해 보세요.

5) 여러분은 '디지털 건망증'을 경험해 본 적이 있어요? 언제 그런 생각을 했어요?

1. 다음 글을 읽고 질문에 답하세요.

우리의 생활을 편리하게 해 주는 발명품 중에는 실수를 통해서 만들어진 것들이 있다. 멋진 계획이 아닌, 실수로 만들어진 발명품에는 어떤 것이 있을까?

• 지우개 달린 연필

미국의 한 화가는 물건을 잘 잃어버렸는데 특히 지우개를 자주 잃어버렸다. 하지만 가난한 화가는 여러 개의 지우개를 사는 것이 어려웠다. 그러던 어느 날, 모자를 쓴 자신의 모습을 보고 좋은 생각이 떠올랐다. '아! 연필 끝에 모자처럼 지우개를 올려서 사용하면 지우개를 잃어버리지 않겠구나!' 그 후로 화가는 연필 끝에 지우개를 올리고 그걸 붙여서 사용했다. 이렇게 만들어진 지우개 달린 연필로 가난한 화가는 돈을 많이 벌게 되었다.

• 포스트잇

미국의 한 회사에서 접착제를 개발하던 연구원이 잘 붙기도 하면서 잘 떨어지기도 하는 접착제를 만들었다. 접착제는 잘 떨어지지 않아야 하기 때문에 이 접착제는 판매를 하지 못했다. 몇 년 뒤에 연구원의 동료가 책을 읽다가 읽은 부분까지 표시해 놓을 수 있는 방법을 고민하게 되었다. 그때 이 접착제가 생각났다. 이 접착제라면 쉽게 붙일 수 있고, 쉽게 뗄 수 있다고 생각한 것이다. 그렇게 해서 만들어진 것이 바로 포스트잇이다. 포스트잇은 실패한 접착제에서 쉽게 붙고 쉽게 떨어지는 메모지가 되면서 지금까지도 사람들의 사랑을 받는 성공적인 발명품이 되었다.

1) 다음 내용을 정리해 봅시다.

	지우개 달린 연필	포스트잇
발명한 사람의 직업		
발명한 계기		
발명의 결과		

2. 여러분이 발명품을 만든다면 어떤 것을 만들고 싶어요? 왜 그것을 만들고 싶어요?

새 어휘 💡

발명품
접착제
떼다

1. 여러분은 최근에 실수를 한 적이 있어요? 여러분이 한 실수를 메모해 보세요.

언제, 어디에서 실수를 했어요?	
어떤 일이 있었어요?	
실수를 한 후에 어떻게 했어요?	
실수를 한 후에 앞으로 어떻게 해야겠다고 생각했어요?	

2. 메모를 보고 여러분이 실수를 한 경험에 대한 글을 써 보세요.

3. 쓴 내용을 발표해 보세요. 실수한 후에 달라진 것이 무엇인지 생각하면서 들어 보세요.

저는 얼마 전에 ….

4. 다른 사람이 발표한 실수 중에서 가장 재미있는 실수가 뭐예요?

1. 실수·용서와 관련된 어휘와 표현을 빈칸에 넣어 보세요.

말실수하다	오해하다	후회하다	변명하다	사과하다
화해하다	오해를 풀다	용서하다	다투다	말다툼하다

1)
미안해.
내가 잘못했어.

2)
내가 주노한테
왜 그렇게 말했지?
아, 말하지 말걸.

3)
아니. 내 말은
그런 뜻이 아니라,
사실은 그게….

4)
그때는
내가
미안했어.
아니야.
나도 잘못했지.
나도 정말
미안했어.

---

2. 다음 친구의 문자 메시지에 대답을 쓰고 이야기해 보세요.

1) 민수 씨, 늦어서 미안해요. 오래 기다렸죠?   _____ .

2) _____ .   그럴 수도 있죠, 신경 쓰지 마세요.

3) 팀장님, 제가 회의 때 실수가 많았죠?
앞으로 주의하겠습니다.   _____ .

---

3. 다음 표현을 듣고 따라 해 보세요. 01

1) • 회의 때 실수가 좀 있던데 다음에는 조금 더 준비를 잘해 주세요.
   • 노래를 참 잘하던데 이번 대회에 한번 나가 보세요.

2) • 너무 피곤해서 집에 가자마자 잠들었어요.
   • 화를 낸 게 미안해서 만나자마자 사과했어요.

3) • 사과를 하고 싶은데 어떻게 해야 할지 모르겠어.
   • 친구하고 오해를 풀고 싶은데 어떻게 해야 할지 모르겠어요.

새 어휘 💡

다투다
말다툼하다

1. 다음 단어를 활용해서 문장을 완성해 보세요.

자다	사 주다	쓰다
길다	가다	예쁘다
가수이다		

1) 어렸을 때 부모님께서 선물을 자주 사 주**셨었어요** .

2) .

3) .

4) .

2. 여러분은 예전에 어땠어요? '-았었 / 었었-'을 사용해서 다음을 쓰고 이야기해 보세요.

1) 예전에 저는 . 지금은 머리가 아주 짧아요.

2) 예전에 저는 . 지금은 뭐든 다 잘 먹어요.

3) 예전에 저는 . 지금은 여행가가 되고 싶어요.

4) 예전에 저는 . 지금은 운동을 잘해요.

3. 다음의 상황을 보고 '-았었 / 었었-'을 사용해서 이야기해 보세요.

1) 친구 ─ 나

친구와 내가 어렸을 때 살던 도시에 여행을 갔습니다. 예전과 많이 달라진 고향 모습에 대해 이야기해 보세요.

친구: 오랜만에 고향에 오니 어때? 많이 바뀌었지?

나: 그러게.
.

2) 손님 ─ 나(직원)

아르바이트를 하는데 한 손님이 와서 몇 년 전에 유행한 운동화에 대해 묻습니다. 손님에게 지금은 살 수 없다고 이야기해 보세요.

손님: 혹시 빨간색에 하얀색 줄이 있는 운동화, 지금도 구할 수 있어요?

나: 죄송합니다. 손님.
.

1. 다음 단어를 활용해서 문장을 완성해 보세요.

사다   공부하다   믿다

만들다   집을 짓다   출발하다

물어보다

1) 책에서 시험 문제가 다 나왔는데, 더 열심히 공부**할걸 그랬어요** .

2) _____.

3) _____.

4) _____.

2. 다음 상황에서 여러분은 어떤 후회를 할 것 같아요? '-(으)ㄹ걸 그랬다'를 사용해서 쓰고 이야기해 보세요.

1) 외국어 시험에 떨어졌어요.

_____.

2) 친구에게 생일 선물을 줬는데 친구가 그 물건을 얼마 전에 샀다고 해요.

_____.

3) 좋아하는 사람이 있는데 고백을 못 했어요. 그런데 그 사람에게 애인이 생겼다고 해요.

_____.

3. 다음의 상황을 보고 '-(으)ㄹ걸 그랬다'를 사용해서 이야기해 보세요.

1) 친구 — 나

퀴즈 대회에 신청을 안 했는데, 대회에 참가한 친구가 문제가 쉬웠다고 합니다. 아쉬운 마음을 이야기해 보세요.

친구: 이번 퀴즈 대회 문제가 진짜 쉬웠어.

나: 정말? _____

_____.

2) 동아리 선배 — 나(동아리 후배)

동아리 공연이 있었는데, 연습을 못 해서 실수를 많이 했습니다. 공연 후에 선배에게 미안한 마음을 이야기해 보세요.

선배: 공연이 잘 끝나서 다행이야.
정말 수고 많이 했어. 우리 후배들!

나: _____

_____.

1. 안나 씨와 유진 씨는 얼마 전에 싸웠어요. 다음을 잘 듣고 질문에 답하세요.

1) 안나 씨는 유진 씨에게 왜 전화를 했어요?

2) 들은 내용과 같으면 ○, 다르면 ✕ 표시를 하세요.

① 유진 씨와 안나 씨는 얼마 전에 싸웠어요.   (   )

② 유진 씨는 안나 씨에게 여전히 화가 안 풀렸어요.   (   )

③ 안나 씨는 일이 많고 정신이 없어서 유진 씨에게 화를 냈어요. (   )

3) 안나 씨와 유진 씨는 내일 만나서 뭘 하기로 했어요?

2. 다음 뉴스를 잘 듣고 질문에 답하세요.

1) '사과의 날'은 어떤 날이에요?

2) 사과를 하고 싶은 사람은 어떻게 하는 게 좋을까요?

3) 다시 들으면서 중요한 내용을 메모해 보세요.

4) 여러분은 '사과의 날'에 사과하고 싶은 사람이 있어요? 무슨 일이 있었어요?

1. 다음 글을 읽고 질문에 답하세요.

고객 여러분께 사과 드립니다

올해 저희 회사에서 새로 나온 스마트폰 'A314'의 액정에 생긴 문제에 대해 사과 말씀을 드립니다.

제품을 만드는 과정에서 일부 제품의 액정에 'A125'에 들어가는 부품이 사용되었습니다. 3월 1일에서 3월 2일 사이에 만들어진 제품에 이런 문제가 있었습니다. 이때 만들어진 제품을 구입한 고객님은 불편하시겠지만 서비스 센터에서 무료로 수리를 받으시기 바랍니다. 전국에 있는 '하나전자' 서비스 센터에 방문하시면 됩니다. 만들어진 날짜를 모를 경우 하나전자(☎1234-5678)로 전화하시면 날짜를 확인하실 수 있습니다.

수리 시간은 1시간 정도 걸립니다. 미리 예약을 하고 오시면 기다리지 않고 바로 수리를 받으실 수 있습니다.

저희 '하나전자'의 실수로 고객 여러분에게 불편을 드리게 된 점에 대해 다시 한번 사과 말씀을 드립니다. 앞으로 이런 일이 일어나지 않도록 더욱 노력하겠습니다.

－하나전자.

1) '하나전자'는 어떤 실수를 했어요?

2) 읽은 내용과 같으면 ○, 다르면 × 표시를 하세요.

① 올해 만든 모든 스마트폰에 문제가 있어요. (   )
② 'A125' 제품도 무료로 수리를 받을 수 있어요. (   )
③ 수리를 바로 받으려면 미리 예약을 해야 해요. (   )
④ '하나전자'에 전화하면 스마트폰을 만든 날짜를 알 수 있어요. (   )

2. 다음 상황에서는 어떻게 해야 하는지 대화를 해 보세요.

- 지난 주말에 가수 K의 공연을 가려고 했는데 비가 너무 많이 와서 공연이 취소되었어요. 공연 회사에서 환불을 해 준다고 해요. 회사에 전화를 해서 환불 방법에 대해 물어보세요.

새 어휘 💡

액정
부품

1. 여러분은 '사과의 날'에 사과를 하고 싶은 사람이 있어요?
꼭 사과를 하고 싶은 사람에게 사과 편지를 쓰기 위해 간단하게 메모해 보세요.

누구에게 사과를 하고 싶어요?	
그 사람과 어떤 일이 있었어요?	
그 후에 어떤 생각을 했어요?	
꼭 하고 싶은 사과의 표현이 있어요?	

2. 메모를 보고 사과 편지를 써 보세요.

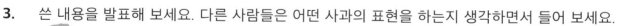

3. 쓴 내용을 발표해 보세요. 다른 사람들은 어떤 사과의 표현을 하는지 생각하면서 들어 보세요.

저는 얼마 전에 다툰 친구에게 …

4. 다른 친구의 이야기를 듣고 무엇을 느꼈어요? 그 친구에게 어떤 말을 해 주고 싶어요?

1. 동호회 활동과 관련된 어휘와 표현을 빈칸에 넣어 보세요.

> 동호회를 만들다 　 동호회에 가입하다 　 동호회에 나가다 　　　 모임을 하다 　　 모임에 나가다
> 회원을 모집하다 　 회비를 내다 　　 정보를 공유하다 　　　 인맥을 쌓다
> 친목을 다지다 　　 친목을 쌓다 　　 정기적으로 모임을 가지다 　 동호회 활동을 적극적으로 하다

동호회 활동 시작 전	
동호회에 들어간 후	
동호회 활동의 장점	

 〈**동호회 소개**〉 _____ 동호회

- 동호회에서 하는 일: _____
- 동호회의 장점: _____

2. 여러분이 가입하고 싶은 동호회는 뭐예요? 배운 어휘를 사용해서 쓰고 이야기해 보세요.

1) **가입하고 싶은 동호회** _____

2) **가입하고 싶은 이유** _____

3. 다음 표현을 듣고 따라 해 보세요.

1) • 마라톤을 좋아하는 사람들이 모여서 같이 운동을 해요.
   • 춤을 좋아하는 사람들이 모여서 같이 춤을 춰요.

2) • 한 달에 한 번 동호회 모임을 해요.
   • 일주일에 한 번 정기적으로 동호회 모임을 가져요.

3) • 동호회 사람들과 모여서 같이 운동도 하고 친목도 다져요.
   • 동호회 사람들과 모여서 여러 가지 정보를 공유해요.

새 어휘 💡

모임에 나가다
친목을 쌓다
정기적으로 모임을 가지다
동호회 활동을
적극적으로 하다

1. 다음 단어를 활용해서 문장을 완성해 보세요.

사다	만나다	없다
먹다	크다	작다
맛있다		

1) 길을 가다가 친구를 만**나 가지고** 같이 커피를 마셨어요 .

2) _____ .

3) _____ .

4) _____ .

2. 그림을 보고 이 사람에게 무슨 일이 있었는지 '-아 / 어 가지고'를 사용해서 쓰고 이야기해 보세요.

1)    2)    3)    4)

1) 늦게 일어나 가지고 회사에 지각했어요 .

2) _____ .

3) _____ .

4) _____ .

3. 다음의 상황을 보고 '-아 / 어 가지고'를 사용해서 이야기해 보세요.

1) 친구 ― 나

동호회 모임에 갑자기 못 가게 되었습니다. 동호회 친구에게 모임에 왜 못 가게 되었는지 이야기해 보세요.

> 친구: 어, 이번 주 모임에 못 나가?

> 나:
> _____
> _____ .

2) 서비스 센터 직원 ― 나(손님)

서비스 센터에 휴대폰을 고치러 왔습니다. 직원에게 어떤 문제가 있어서 방문했는지 이야기해 보세요.

> 직원: 어서 오세요. 무엇을 도와드릴까요?

> 나:
> _____
> _____ .

1. 다음 단어를 활용해서 문장을 완성해 보세요.

자다	읽다	만들다
쓰다	입다	춥다
짜다		

1) 시간이 있으면 책을 읽**는다거나** 영화를 봐요   .

2) _____ .

3) _____ .

4) _____ .

2. 다음 상황에서 하면 안 되는 일을 '-는다거나 / ㄴ다거나'를 사용해서 쓰고 이야기해 보세요.

1) 도서관에서

책에 낙서를 한다거나 책을 찢으면 안 된다   .

2) 여러 사람이 함께 이용하는 캠핑장에서

_____

_____ .

3) 영화관에서

_____

_____ .

3. 다음의 상황을 보고 '-는다거나 / ㄴ다거나'를 사용해서 이야기해 보세요.

1) 학생 ― 나(선생님)

학생이 한국어 공부에 대한 고민이 있다고 합니다. 학생의 고민에 답을 해 보세요.

> 학생: 한국어 쓰기가 너무 어렵고 재미없어요. 어떻게 하면 좋을까요?

> 나: _____
> _____ .

2) 직장 동료 ― 나

퇴근 후에 하는 다양한 일을 동료에게 소개해 주세요.

> 동료: 나는 퇴근하면 집에 가서 쉬는 거밖에 하는 일이 없어. 보통 퇴근 후에 뭐 해?

> 나: _____
> _____ .

1. 주노 씨가 직장 동료와 이야기해요. 다음을 잘 듣고 질문에 답하세요.

02

1) 지호 씨와 주노 씨는 오늘 저녁에 뭐 할 거예요?

2) 주노 씨는 왜 독서 동호회에 나가는 것을 좋아해요?

3) 지호 씨가 가입하고 싶은 동호회는 어떤 동호회예요?

2. 다음 대화를 잘 듣고 질문에 답하세요.

03

1) 들은 내용과 같으면 ○, 다르면 × 표시를 하세요.

① 주말마다 모여서 같이 테니스를 쳐요. ( )
② 전문 테니스 강사에게 테니스를 배울 수 있어요. ( )
③ 테니스를 칠 줄 모르는 사람도 테니스 동호회에 가입할 수 있어요. ( )

2) 다시 들으면서 중요한 내용을 메모해 보세요.

3) 여러분은 운동하는 것을 좋아해요? 혼자 하는 운동과 다른 사람과 같이 하는 운동 중 무엇을 더 좋아해요?

1. 다음 글을 읽고 질문에 답하세요.

클래식 악기, 직장 동료들과 함께 배워요

매주 수요일 오후 6시. 퇴근 시간이 되면 화장품 회사 '더좋은'의 직원들은 바빠진다. 오후 6시 30분부터 '클래식 악기' 사내 동호회 활동이 시작되기 때문이다.

사무실 곳곳에서는 바이올린, 플루트, 클래식 기타 수업이 열린다. 작년부터 시작된 이 동호회 활동에는 직원 30명이 참여한다. 회원 중 전에도 악기를 연주해 본 사람은 단 두 명. 대부분 초보지만 표정이나 자세는 매우 진지하다.

사내 동호회 활동을 제안한 사람은 이 회사의 대표 김우준(54) 씨다. 먹고 마시는 회식 대신 동호회 활동을 하면서 직원 간 친목을 다지면 좋겠다고 생각했기 때문이다. 물론 처음에는 사내 동호회 활동을 좋아하지 않는 직원들도 있었다. 귀찮다고 여기거나, 일이 끝난 후에도 회사 사람들과 어울리는 것이 불편하다고 말하기도 했다. 하지만 지금은 많은 직원들이 즐겁게 사내 동호회 활동에 참여하고 있다.

정혜원(52) 씨는 "좋은 활동이지만 처음에는 조금 귀찮다고 생각했다."라고 하면서 "하지만 동호회 활동을 시작하고 나서는 생각보다 재미있어서 적극적으로 참여하게 됐다."라고 말한다. 결혼한 지 20년이 된 정 씨는 "그동안 회사 일과 집안일 때문에 바빠서 나만을 위한 시간을 내는 것은 꿈도 못 꿨다. 바이올린을 배우는 시간이 매우 즐겁다."라고 전했다.

안미정(37) 씨는 "노래 듣는 건 좋아했지만 직접 악기를 배울 수 있을 것이라곤 생각도 하지 못했다."라며 사내 동호회에 참여한 것을 만족스러워했다. 그리고 "내년 초 사내 공연을 목표로 열심히 배우고 있다. 나중엔 봉사 활동도 다닐 계획이다."라고 전했다.

1) 이 회사 사람들은 어떤 동호회 활동을 하고 있어요?

2) 동호회 활동에 대한 직원들의 반응은 어때요?

2. 여러분이 생각하는 사내 동호회 활동의 장점은 뭐예요?
다른 사람들과 이야기해 보세요.

새 어휘 💡

초보
진지하다
사람들과 어울리다
만족스러워하다

1. 여러분이 생각하는 동호회 활동의 장점은 뭐예요?
혼자 하는 취미 활동과 비교했을 때 동호회 활동의 장점은 무엇인지 메모해 보세요.

혼자 하는 취미 활동	다른 사람들과 같이 하는 동호회 활동
• 언제든지 내가 원하는 시간에 할 수 있다.	• 새로운 사람을 사귈 수 있다.
•	•
•	•

2. 메모를 보고 동호회 활동의 장점에 대한 의견을 정리해서 써 보세요.

3. 쓴 내용을 발표해 보세요. 여러분이 생각한 것 외에 다른 사람들이 발표한 동호회 활동의 장점에는
어떤 것이 있는지 메모하면서 들어 보세요.

제가 생각하는
동호회 활동의 장점은 ….

4. 여러분은 혼자 하는 취미 활동과 동호회 활동 중 무엇을 더 선호해요? 그 이유는 뭐예요?
자신이 선호하는 취미 활동이나 여가 활동을 즐기는 방식에 대해 조금 더 이야기해 보세요.

1. 휴가지와 관련된 어휘와 표현을 빈칸에 넣어 보세요.

관광지를 둘러보다	기념품을 사다	현지 문화를 체험하다	색다른 경험을 하다
재충전을 하다	여유를 즐기다	사람들로 붐비다	여유롭다
물가가 저렴하다 / 비싸다	자연 경관이 뛰어나다	볼거리가 많다	이국적이다

 관광지

 휴양지

 유적지

2. 여러분은 지난 휴가에 어디에 갔어요? 배운 어휘를 사용해서 쓰고 이야기해 보세요.

1) **지난 휴가에 간 곳은 어떤 곳이었어요?**

2) **지난 휴가에 거기에서 무엇을 했어요?**

3. 다음 표현을 듣고 따라 해 보세요. 01

1) • 지난 휴가에 간 곳은 볼거리가 많아서 좋았어요.
   • 지난 휴가에 간 곳은 사람들로 붐비지 않아서 좋았어요.

2) • 저는 이번 휴가 때 고향에 다녀올까 해요.
   • 저는 이번 휴가 때 휴양지에 가서 쉴까 해요.

3) • 색다른 경험을 해 볼 수 있어서 좋았어요.
   • 이국적인 풍경을 즐길 수 있어서 좋았어요.

새 어휘 💡

색다른 경험을 하다
사람들로 붐비다
여유롭다
물가가 비싸다
이국적이다

1. 다음 단어를 활용해서 문장을 완성해 보세요.

| 공부하다 | 보다 | 준비하다 |
| 만들다 | 놀다 | 게임하다 |
| 읽다 |

1) 영화관에서 영화를 **보느라고** _____ 전화를 못 받았어요.

2) _____ 시간 가는 줄 몰랐어요.

3) _____ 정신없이 바빠요.

4) _____ 힘들었어요.

2. '-느라고'와 '-아서 / 어서'를 사용해서 대답해 보세요.

1) 가: 어제 한국어 수업에 왜 안 왔어요?

　나: ① (-느라고) _____ .

　　　② (-아서 / 어서) _____ .

2) 가: 많이 피곤해 보여요. 어제 잠을 잘 못 잤어요?

　나: ① (-느라고) _____ .

　　　② (-아서 / 어서) _____ .

3) 가: 어제 영화 보러 간다고 했었죠? 영화 어땠어요?

　나: ① (-느라고) _____ .

　　　② (-아서 / 어서) _____ .

3. 다음의 상황을 보고 '-느라고'를 사용해서 이야기해 보세요.

1) 친구 — 나

약속 시간에 30분 늦게 도착했습니다.
늦게 도착한 이유를 이야기해 보세요.

> 친구: 무슨 일 있었어? 왜 이렇게 늦었어?

> 나: 미안해. _____
> _____ .

2) 팀장 — 나(직원)

오늘까지 끝내야 하는 보고서를 다 쓰지
못했습니다. 보고서를 완성하지 못한
이유를 설명해 보세요.

> 팀장: 오늘까지 주기로 한 보고서 완성했어요?

> 나: 팀장님, 사실은 _____
> _____ .

1. 다음과 같은 말에 '-기는요'를 사용해서 알맞은 대답을 해 보세요.

1) 와, 너 사진 정말 잘 찍는다! — 잘 찍기는. 카메라가 좋아서 잘 나온 거야.

2) 시험공부하느라 많이 힘들지? — _____.

3) 이 식당 음식이 너무 비싼 것 같아. — _____.

4) 한국어 책 빌려줘서 고마워. — _____.

2. '-기는요'를 사용해서 질문에 답을 쓰고 이야기해 보세요.

1) 가: 주노 씨, 바쁜데 도와달라고 해서 미안해요.

   나: _____.

2) 가: 안나, 저번에 발표 준비 도와줘서 고마워. 정말 도움이 많이 됐어.

   나: _____.

3) 가: 와, 이거 수지 씨가 직접 만든 거예요? 수지 씨는 요리도 정말 잘하네요.

   나: _____.

4) 가: 해리 씨, 요즘 가게에 손님이 많아서 좀 힘들지요?

   나: _____.

3. 다음의 상황을 보고 '-기는요'를 사용해서 이야기해 보세요.

1) 친구 — 나

   유학 준비가 거의 다 끝나서 서류를 한국에 보내면 끝납니다. 유학 준비가 어떻게 되고 있는지 친구와 이야기해 보세요.

   친구: 유학 준비하느라고 많이 바쁘지?

   나: _____
   _____.

2) 직장 동료 — 나

   직장 동료의 집에 초대를 받아서 방문했습니다. 직장 동료와 인사해 보세요.

   직장 동료: 어서 오세요. 집들이 와 줘서 고마워요. 집이 좀 좁죠?

   나: _____
   _____.

1. 재민 씨와 마리 씨가 한국 여행에 대해 이야기해요. 다음을 잘 듣고 질문에 답하세요.

1) 마리 씨는 한국에 가면 뭘 하고 싶어 해요?

2) 재민 씨는 마리 씨에게 어디에 가자고 했어요?

3) 재민 씨는 왜 거기에 가자고 했어요?

2. 다음 방송을 잘 듣고 질문에 답하세요.

1) 들은 내용과 같으면 ○, 다르면 × 표시를 하세요.

① '내일로'를 사면 기차를 일곱 번 탈 수 있어요.　　　　　(　　　　)

② '내일로'는 학생들만 이용할 수 있는 열차 이용권이에요.　(　　　　)

③ '내일로'는 휴대폰 애플리케이션을 사용해서 구입할 수 있어요.　(　　　　)

2) 다시 들으면서 중요한 내용을 메모해 보세요.

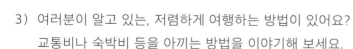

3) 여러분이 알고 있는, 저렴하게 여행하는 방법이 있어요?
   교통비나 숙박비 등을 아끼는 방법을 이야기해 보세요.

1. 다음 글을 읽고 질문에 답하세요.

행복한 휴가를 보내는 방법

휴가를 어떻게 보내는 것이 가장 효과적일까? 휴가의 효과에 대한 조사 결과들을 살펴보자.

휴가를 떠나기 전 VS 휴가를 떠난 후

휴가를 떠나기 전과 후, 언제 더 행복할까? 한 조사에서 사람들은 휴가를 떠난 후보다 떠나기 전에 더 행복해했다는 결과가 나왔다고 한다. 휴가를 떠나기 전, 휴가 계획을 세우는 동안 더 행복했다는 것이다.

휴가 계획 꼼꼼히 세우기 VS 휴가 계획 대충 세우기

휴가를 너무 꼼꼼하게 계획하면 오히려 재미가 줄어든다는 조사 결과도 있다. 꼼꼼하게 계획을 세우면 계획한 대로 휴가를 보낼 수는 있다. 하지만 계획대로만 휴가를 보냈을 때 재미를 느끼지 못할 수도 있다는 것이다. 오히려 기대하지 않았던 경험을 할 때 더 큰 재미를 느끼는 경우도 있기 때문이다.

휴가의 효과는 2주만?

또 다른 조사에서는 휴가를 다녀온 뒤의 행복함은 2주밖에 계속되지 않는다고 한다. 그렇지만 휴가가 우리의 몸과 마음에 긍정적인 효과를 주는 것은 확실하다. 휴가를 다녀온 후에 집중력은 높아지고 스트레스는 낮아진다고 한다.

휴가를 떠나기 전부터 휴가를 다녀온 후까지, 우리의 몸과 마음이 어떻게 바뀌는지 알아봤다. 그렇다면 과연 어떤 휴가가 가장 행복한 휴가일까? 아마 정답은 없을 것이다. 여러분 모두 올해는 작년보다 더 행복한 휴가를 보내기를 바란다.

1) 휴가를 떠나기 전과 휴가를 떠난 후, 사람들은 언제 더 행복하다고 느끼나요?

2) 휴가 계획을 꼼꼼히 세우면 휴가를 더 재미있게 보낼 수 있어요?

3) 휴가를 다녀오면 사람들의 몸과 마음에 어떤 효과가 있어요?

2. 여러분은 위에서 소개한 조사 결과에 대해 어떻게 생각해요?
여러분은 어떻게 휴가를 보내는 것이 더 행복하다고 생각해요?

새 어휘 💡

꼼꼼하다
대충

1. 여러분이 생각하는 가장 행복한 휴가는 어떤 휴가예요?
여러분이 생각하는 행복한 휴가 계획을 메모해 보세요.

휴가 장소	·
휴가 기간	·
휴가 동안 할 일	· · ·

2. 메모를 보고 여러분이 생각하는 '행복한 휴가'에 대한 글을 써 보세요.

3. 쓴 내용을 발표해 보세요. 다른 사람들이 생각하는 행복한 휴가는 어떤 것인지 메모하면서
들어 보세요.

제가 생각하는 행복한 휴가는…

4. 다른 사람이 발표한 행복한 휴가 중 가장 마음에 드는 것은 뭐예요?

1. 결혼과 관련된 어휘와 표현을 빈칸에 넣어 보세요.

연애하다	주례사를 하다	청첩장	축의금	피로연	신랑 / 신부
폐백을 드리다	축가를 부르다	신랑 신부 입장	혼인 서약을 하다		
상견례를 하다	프러포즈를 하다	신혼여행을 가다			

결혼 전	
결혼식	

2. 결혼하기까지 일어나는 일을 배운 어휘를 사용해서 순서대로 쓰고 이야기해 보세요.

좋아하는 사람을 만나서 연애를 하거나 다른 사람에게 좋은 사람을 소개 받아요.

_____

_____

신혼여행을 떠나요.

3. 다음 표현을 듣고 따라 해 보세요.
01

1) • 신랑 신부가 정말 행복해 보여요.
   • 축가를 부르는 친구들이 즐거워 보여요.

2) • 한국에서는 결혼할 때 한복을 입지 않아요?
   • 대부분 프러포즈를 할 때 반지를 주지 않아요?

3) • 저는 예쁜 공원에서 결혼식을 하고 싶어요.
   • 저는 결혼식에서 부모님께 감사한 마음을 전하고 싶어요.

새 어휘 💡

주례사를 하다
축가를 부르다
혼인 서약을 하다
상견례를 하다
프러포즈를 하다
신혼여행을 가다

1. 다음 단어를 활용해서 문장을 완성해 보세요.

가다	찾다	듣다
만들다	좋다	바쁘다
시험이다		

1) 수지 씨는 집에 먼저 간 **모양이에요** .

2) _____ .

3) _____ .

4) _____ .

2. '-는/(으)ㄴ 모양이다'를 사용해서 어떤 상황인지 추측해서 써 보세요.

1) 밖이 너무 시끄러워요.

_____ .

2) 민수 씨가 다리에 깁스를 하고 있어요.

_____ .

3) 마리 씨가 비행기표를 예매하고 있어요.

_____ .

4) 주노 씨가 전화를 안 받아요.

_____ .

3. 다음의 상황을 보고 '-는/(으)ㄴ 모양이다'를 사용해서 이야기해 보세요.

1) 친구 — 나

친구가 회사 일 때문에 약속에 좀 늦겠다고 전화를 했습니다. 친구에게 괜찮다고 이야기해 보세요.

> 친구: 미안해. 조금 늦을 것 같아.

> 나: 괜찮아. _____
> _____ .

2) 선생님 — 나(학생)

요즘 한 친구가 계속 수업에 오지 않는데, 선생님께서 그 친구의 소식을 물어봅니다. 선생님께 친구의 상황을 이야기해 보세요.

> 선생님: 혹시 ○○씨가 요즘 수업에 왜 안 오는지 알아요?

> 나: _____
> _____ .

1. 다음 표현을 활용해서 문장을 완성해 보세요.

오늘같이 좋은 날	불같이 화를 내다
바다같이 넓은 마음	엄마같이 따뜻하다
번개같이 달려가다	

1) 우리 선생님처럼 **바다같이 넓은 마음**을 가졌으면 좋겠어요 .

2) .

3) .

4) .

2. 이 사람은 어떤 사람이에요? '같이'를 사용해서 다음 사람에 대한 여러분의 생각을 쓰고 이야기해 보세요.

1) 제가 가장 좋아하는 친구 ○○은 / 는 .

2) 우리 반 한국어 선생님은 .

3) 우리 부모님은 .

4) 제 남자 친구는 / 여자 친구는 .

3. 다음의 상황을 보고 '같이'를 사용해서 이야기해 보세요.

1) 친구 ─ 나

친구에게 여자 친구 / 남자 친구를 소개해 주려고 합니다. 소개해 줄 친구에 대해 이야기해 보세요.

친구: 내일 만나기로 한 그 사람은 어떤 사람이에요?

나:
.

2) 직장 동료 ─ 나

어떤 곳으로 신혼여행을 가고 싶은지 직장 동료와 이야기해 보세요.

동료: 어떤 곳으로 신혼여행을 가고 싶어요?

나:
.

1. 마리 씨와 재민 씨가 '폐백'에 대해 이야기해요. 다음을 잘 듣고 질문에 답하세요.

1) '폐백'이 뭐예요?

2) '폐백'을 할 때 무엇을 입어요?

3) '폐백'을 할 때 신랑 부모님이 신랑과 신부에게 뭘 던져요? 어떤 의미가 있어요?

2. 다음 뉴스를 잘 듣고 질문에 답하세요.

1) 신랑 신부는 어디에서 결혼식을 했어요?

2) 신랑 신부는 왜 이런 결혼식을 선택했어요?

3) 다시 들으면서 중요한 내용을 메모해 보세요.

4) 여러분은 어떤 결혼식을 하고 싶어요? 왜 그런 결혼식을 하고 싶어요?

1. 다음 글을 읽고 질문에 답하세요.

"이런 사람과 결혼하면 행복"
좋은 배우자의 3가지 조건

누구나 좋은 사람을 만나 행복하게 결혼 생활하는 것을 꿈꿔 본 적이 있을 것이다. 어떤 사람과 결혼을 해야 행복할 수 있을까? 많은 사람들이 좋은 직업, 멋있고 예쁜 외모 등을 좋은 배우자의 조건이라 생각하지만 이런 것보다 더 중요한 것이 있다. 바로 아름다운 마음이다. 마음이 아름다운 사람은 어떤 사람일까?

- ① _____ 사람

서로에 대해 잘 이해하는 것은 결혼 생활에서 중요한 부분이다. 이해가 없으면 계속해서 싸울 수 있기 때문이다. 서로 다른 사람이 만나 서로 이해하며 생활하는 것이 중요하다.

- ② _____ 사람

처음 연애를 시작할 때는 누구나 표현을 잘 한다. 하지만 시간이 지날수록 표현이 줄어든다. 시간이 지난다고 표현하지 않아도 알아차리는 것에 익숙해지는 것이 아니다. 계속 표현하려고 노력하는 사람들의 관계가 더 행복하고 오래갈 수 있다.

- ③ _____ 사람

꿈이 있으면 무엇에 관심이 있는지가 분명하고, 미래에 대한 계획도 깊이 있게 할 수 있다. 그리고 꿈을 이루기 위해 늘 노력을 한다. 나와 함께할 미래를 위해 꿈을 갖고 노력하는 사람을 만나는 것은 아주 중요하다.

1) 윗글의 빈칸에 들어갈 내용을 정리해서 써 보세요.

① _____ 사람

② _____ 사람

③ _____ 사람

2. 여러분이 생각하는 좋은 배우자의 조건은 뭐예요?

3. 다음 상황에서는 어떻게 해야 하는지 대화를 해 보세요.

- 남자 / 여자 친구가 없는 친구가 연애를 하고 싶어 해서 친구에게 소개팅을 해 주기로 했어요. 친구에게 어떤 사람이 이상형인지를 물어보고 주변에 괜찮은 친구를 소개해 주세요.

새 어휘 💡

배우자
줄어들다

1. 여러분은 어떤 사람과 결혼하고 싶어요? 둘 중 하나를 선택해서 메모해 보세요.

지금 좋아하는 사람이 있어요?	지금 좋아하는 사람이 없어요?
• 지금 좋아하는 사람이 이상형이에요?	• 어떤 사람을 만나고 싶어요?
• 그 사람의 좋은 점을 세 가지 써 보세요.	• 이상형의 조건을 세 가지 써 보세요.

2. 메모를 보고 여러분의 이상형을 소개하는 글을 써 보세요.

3. 쓴 내용을 발표해 보세요. 다른 사람들의 이상형은 어떤 사람인지 생각하면서 들어 보세요.

제 이상형은 ….

4. 이상형을 만나면 어떻게 고백할 거예요? 이야기해 보세요.

1. 다음 사진과 그림 속 상황에 알맞은 명절과 관련된 어휘와 표현을 빈칸에 넣어 보세요.

> 송편을 먹다   차례를 지내다   윷놀이를 하다   달맞이를 하다   떡국을 먹다
> 덕담을 하다   씨름을 하다   세배를 하다 / 드리다   연날리기를 하다   소원을 빌다
> 세뱃돈을 주다 / 받다   제기차기를 하다   고향에 돌아가다

1)

2)

3)

---

2. 다음 표현을 듣고 따라 해 보세요.

01

1) • 식사 다 했으면 차하고 한과 좀 드세요.
  • 한복 다 입었으면 차례를 지냅시다.

2) • 할머니 댁에 세배하러 언제 가요?
  • 명절 음식을 만들러 어디로 가요?

3) • 송편을 처음 먹어 봤는데 맛있더라고요.
  • 한복을 입어 봤는데 한복 색깔이 참 예쁘더라고.

---

3. 세배하는 방법을 배워 보세요.

새 어휘 💡

연날리기를 하다
제기차기를 하다
고향에 돌아가다

1. 다음을 해 보니까 어땠어요? '-던데요'를 사용해서 쓰고 이야기해 보세요.

1) 유새이의 콘서트에 가 보니까 정말 감동적이**던데요**   .

2) 한국 음식을 먹어 보니까   .

3) 학교 앞에 문을 연 카페에 가 보니까   .

2. 친구에게 '-던데요'를 사용해서 대답해 주세요.

1)

제주도에 여행 가 봤죠?
어땠어요?

경치가 정말 아름답던데요.

2)

○○씨 봤어요?
조금 전까지 있었는데….

                .

3)

어제 선생님을 만났어요?
선생님은 잘 지내세요?

                .

3. 다음의 상황을 보고 '-던데요'를 사용해서 이야기해 보세요.

1) 후배 — 나(선배)

방학 때 후배의 고향에 여행을 다녀왔습니다.
후배와 이야기해 보세요.

후배: 선배, 우리 고향 어땠어요?

나: .

2) 친구 — 나

어제 한국어 말하기 대회에 다녀왔습니다.
말하기 대회가 어땠는지 친구에게 이야기해
보세요.

친구: 어제 한국어 말하기 대회 어땠어?

나: .

1. 다음 단어를 활용해서 문장을 완성해 보세요.

가다	마시다	듣다
물어보다	출발하다	졸업하다

노래를 부르다

1) 뜨거운 커피를 마**셨더니** _____ 몸이 좀 따뜻해졌어요.

2) _____ 친구도 모른다고 해요.

3) _____ 다른 날보다 일찍 도착했어요.

4) _____ 모두 박수를 쳤어요.

2. 다음 상황과 같이 되려면 어떻게 해야 해요? '-았더니 / 었더니'를 사용해서 여러분의 경험을 쓰고 이야기해 보세요.

1) _____ 한국어가 빨리 늘었어요.

2) _____ 건강해졌어요.

3) _____ 친구가 고마워했어요.

4) _____ 싸고 좋은 물건이 많았어요.

3. 다음의 상황을 보고 '-았더니 / 었더니'를 사용해서 이야기해 보세요.

1) 후배 — 나(선배)

후배에게 생활비를 아끼는 좋은 방법을 알려 주세요.

후배: 선배, 어떻게 하면 생활비를 좀 아낄 수 있을까요?

나: _____
_____ .

2) 의사 — 나(환자)

우산이 없어서 비를 맞았습니다. 그 후에 몸이 안 좋아져서 병원에 갔습니다. 의사에게 증상을 이야기해 보세요.

의사: 언제부터 기침을 했어요?

나: _____
_____ .

1. 마리 씨가 재민 씨의 할아버지 댁에 갔어요. 다음을 잘 듣고 질문에 답하세요.

02

   1) 들은 내용과 같으면 ○, 다르면 × 표시를 하세요.

     ① 마리 씨는 세뱃돈을 받지 않았어요.   (   )

     ② 마리 씨와 할아버지는 처음 만났어요.   (   )

     ③ 마리 씨는 할아버지께 전화를 드리고 왔어요.   (   )

     ④ 마리 씨는 할아버지, 재민 씨와 윷놀이를 했어요. (   )

   2) 세배를 할 때 마리 씨는 어떻게 인사를 했어요?

      할아버지는 어떻게 대답하셨어요?

2. 다음 대화를 잘 듣고 질문에 답하세요.

03

   1) 유진 씨는 안나 씨에게 뭐라고 말했어요?

   2) 유진 씨가 안나 씨에게 그렇게 말한 이유가 뭐예요?

   3) 다시 들으면서 중요한 내용을 메모해 보세요.

   4) 여러분 나라에서도 명절에 특별히 하는 말이나 인사가 있어요? 이야기해 보세요.

1. 다음 글을 읽고 질문에 답하세요.

추석의 또 다른 이름, 한가위

음력 8월 15일은 추석입니다.

추석은 '달이 가장 크고 좋은 가을 밤'이라는 뜻인데요. 추석은 '한가위'라는 또 다른 이름이 있습니다. 한가위는 어떤 뜻일까요?

한 + 가위
(크다) (가운데)

8월의 중간, 가을의 중간이라는 의미입니다.

한가위가 가장 큰 명절인 이유가 뭘까요? 그것은 바로 한가위가 일 년 중에서 가장 먹을 것이 풍족한 수확의 계절인 가을에 있기 때문입니다.

그래서 한가위에는 농사를 잘 지을 수 있게 해 주신 조상에게 송편을 빚어 차례를 지내고, 맛있는 음식도 많이 먹을 수 있지요.

지금은 한가위를 보내는 모습이 많이 바뀌었지만 가족들이 모여 맛있는 음식을 먹으면서 시간을 보내고, 감사하는 마음을 갖는 것은 그대로입니다.

"더도 말고 덜도 말고 늘 한가위만 같아라."란 말처럼 일 년 내내 한가위처럼 풍족하고 행복했으면 좋겠습니다.

1) '한가위'는 무슨 의미예요?

2) '한가위'에는 무엇을 해요?

3) "더도 말고 덜도 말고 늘 한가위만 같아라."라는 말은 어떤 의미일까요?

2. 여러분 나라에는 한국의 '추석'과 같은 명절이 있어요? 어떤 날이에요?

새 어휘 💡

풍족하다

수확

농사

1. 여러분 나라의 명절을 소개하는 카드 뉴스를 만들어 보세요. 소개하고 싶은 내용을 메모해 보세요.

이름과 의미(유래)	
먹는 음식과 의미	
하는 놀이와 의미	
명절 인사말과 의미	

2. 메모를 보고 카드 뉴스를 만들어 보세요.

3. 다른 사람과 서로 바꿔서 읽어 보세요. 새로 알게 된 내용을 메모하면서 읽어 보세요.

4. 다른 사람의 카드 뉴스 중에서 가장 기억에 남는 내용이 뭐예요?

1. 취업과 관련된 어휘와 표현을 빈칸에 넣어 보세요

입사 지원서를 내다	이력서를 쓰다	경력을 쌓다	이직하다
적성에 맞다	면접을 보다	면접 연습	외국어 공부
인턴십	봉사 활동	승진하다	자격증을 따다
입사 시험을 치다	복지가 좋다	자기 소개서를 쓰다	연봉이 높다

취업을 준비할 때

회사에 지원할 때

직장을 구하는 조건

2. 취업에 성공하려면 무엇을 준비해야 하는지 배운 어휘를 사용해서 이유를 쓰고 이야기해 보세요.

1) 면접 연습을 하는 것이 중요합니다.

왜냐하면 _____ .

2) 자격증을 미리 따 놓아야 합니다.

왜냐하면 _____ .

3) _____

_____ .

3. 다음 표현을 듣고 따라 해 보세요.
01

1) • 적성에 맞는 일을 찾는 것이 중요해요.
   • 졸업 전에 경력을 쌓는 것이 중요해요.

2) • 저는 면접시험에 자신이 없어요.
   • 한국어 발음에 자신이 없어요.

3) • 자기 소개서를 쓰는 일이 쉽지 않아요.
   • 많은 사람들 앞에서 발표하는 일이 쉽지 않아요.

새 어휘 💡

이직하다
입사 시험을 치다
면접 연습
외국어 공부
봉사 활동

1. 다음 단어를 활용해서 문장을 완성해 보세요.

끝나다 닮다 읽다 먹다 되다 쓰다 만들다

1) 내 동생은 클수록 아버지의 성격을 닮**아 간다** .
2) 지난달에 빌린 .
3) .
4) .

2. 여러분은 다음의 상황에서 어떻게 대답할 거예요? '거의 -아 / 어 가다'를 사용해서 써 보세요.

1) 엄마: 컴퓨터 게임 좀 그만하고 일찍 자.
   나: .
2) 친구: 발표 준비를 다 하려면 얼마나 걸릴 것 같아?
   나: .
3) 손님: 케이크가 나오려면 얼마나 더 기다려야 해요?
   나: .

3. 여러분이 예전부터 해 온 일에 대해 '-아 / 어 오다'를 사용해서 써 보세요.

• 건강을 위해 매일 아침에 일어나서 물을 한 잔씩 마셔 왔다 .

• .

4. 다음의 상황을 보고 '-아 / 어 가다 / 오다'를 사용해서 이야기해 보세요.

1) 직장 상사 — 나(후배)

   오늘 회의에서 보고서를 발표해야 합니다. 상사와 보고서 준비와 관련하여 이야기해 보세요.

   상사: 보고서 준비는 다 되었어요?

   나: 네. _____

   _____ .

2) 친구 — 나

   친구가 취업 준비에 대해 궁금해합니다. 친구에게 나의 취업 준비 방법을 소개해 주세요.

   친구: 취업 준비를 어떻게 해 왔는지 좀 가르쳐 줘.

   나: 대단하게 준비해 온 건 아냐. 그냥 _____

   _____ .

1. 다음 단어를 활용해서 문장을 완성해 보세요.

먹다	사다	예약하다
놓다	만들다	닫다
외우다		

1) 친구들과 축구를 하기 전에 밥을 많이 먹**어 두었다** .

2) 다음 주에 엄마 생신이 있어서 .

3) .

4) .

2. 다음의 상황에서 무엇을 준비해야 할까요? '-아 / 어 두다'를 사용해서 쓰고 이야기해 보세요.

1) 대학원에 입학하려면

2) 원하는 회사에 들어가려면

3) 결혼을 하기 전에

3. 다음의 상황을 보고 대화해 보세요.

1) 후배 — 나(선배)

유학을 가기 위해 준비할 것에 대해
후배와 이야기해 보세요.

후배: 선배, 저 다음 학기에 한국으로 유학 가는데
뭘 어떻게 준비해야 할지 모르겠어요.

나: 미리

.

2) 친구 — 나

친구가 미뤄 둔 과제 때문에 걱정하고
있습니다. 미루는 습관을 가진 친구에게
조언해 보세요.

친구: 아, 내일까지 해야 하는 과제를 아직 덜 했어.
어떡하지?

나: 그러니까

.

1. 주노 씨와 수지 씨가 면접에 대해 이야기해요. 다음을 잘 듣고 질문에 답하세요.

1) 들은 내용과 같으면 ○, 다르면 ✕ 표시를 하세요.

① 수지 씨는 면접시험에 자신이 없어요. (   )

② 수지 씨는 모의 면접 특강에 참석했어요. (   )

③ 수지 씨는 지금 취업 서류를 준비하고 있어요. (   )

2) 대화가 끝나고 수지 씨가 이어서 할 행동은 뭐예요?

2. 다음을 잘 듣고 질문에 답하세요.

1) 면접을 잘 보려면 무엇에 신경을 써야 해요?

2) 손을 많이 움직이는 것은 왜 좋지 않아요?

3) 다시 들으면서 중요한 내용을 메모해 보세요.

4) 면접을 잘 보려면 또 무엇에 신경을 써야 할까요? 이야기해 보세요.

1. 다음 글을 읽고 질문에 답하세요.

첫인상의 중요성

취업난이 심각한 요즘, 많은 취업 준비생들이 입사 시험에 성공하는 방법을 알고 싶어 한다. 특히 면접을 잘 보는 방법에 대한 관심이 뜨겁다. 왜냐하면 대부분의 입사 시험은 서류 전형 후 면접으로 진행되는데 최종 합격은 면접에서 결정되기 때문이다. 그래서 취업 준비생들에게 면접시험은 아주 중요하다.

그렇다면 면접시험을 잘 보려면 어떻게 해야 할까? 많은 사람들이 '첫인상'에 신경 쓰라고 한다. 기업 인사 담당자를 대상으로 '면접에서 첫인상의 중요성'에 대해 조사한 결과 응답자의 86%가 첫인상이 아주 중요하다고 밝혔다. 한 대기업의 인사 담당자는 "첫인상이 밝고 미소를 짓는 지원자는 긍정적인 자세를 갖고 있다는 인식을 준다."라고 했다. "강한 인상은 면접에서 부정적인 이미지를 줄 수 있어서 평소에 웃는 얼굴로 부드러운 인상을 줄 수 있도록 노력하면 면접에서도 유리할 것이다."라고 조언했다.

1) 기업의 입사 시험은 어떻게 진행돼요?

2) 면접을 잘 보기 위해서는 무엇을 신경 써야 해요?

3) 면접에서 좋은 인상을 주려면 어떻게 해야 해요?

4) 이외에도 면접에서 좋은 인상을 주는 방법에 대해 이야기해 보세요.

2. "첫인상이 마지막 인상이다."라는 말이 있어요. 여러분은 이 말에 동의해요?
여러분의 생각을 이야기해 보세요.

3. 여러분이 면접관이 되어 마지막으로 한 가지 질문을 할 수 있다면
어떤 질문을 할 거예요?

새 어휘 💡

취업난
서류 전형
진행되다
인사
담당자

1. 자기 소개서는 어떻게 써야 할까요? 아래 내용을 간단하게 메모해 보세요.

성장 과정	
성격의 장단점	
취미나 특기, 경력	
지원 동기	

2. 메모를 보고 자기 소개서를 써 보세요.

3. 쓴 내용을 발표해 보세요. 다른 사람들은 특히 자신의 성격을 어떻게 소개하는지 잘 들어보세요.

4. 다른 사람들이 쓴 자기 소개서 내용 중 덧붙이거나 빼고 싶은 내용이 있으면 이야기해 보세요.

1. 유학 준비와 관련된 어휘와 표현을 빈칸에 넣어 보세요.

비자를 발급 받다	재학 증명서를 떼다	집을 구하다	부동산에 가다
대학원에 등록하다	항공편을 알아보다	생활비를 벌다	등록금을 내다
비자 면접을 보다	장학금을 받다	수강 신청을 하다	유학원을 알아보다
서류를 제출하다	아르바이트를 하다	한국어능력시험을 치다	외국인 등록증을 만들다

유학을 준비할 때	
유학 생활을 할 때	

2. 배운 어휘를 사용해서 유학 생활에 대해 궁금한 것을 물어보세요.

1) 대학교에서 장학금을 받으려면
어떻게 해야 해요?

2)

3)

4)

3. 다음 표현을 듣고 따라 해 보세요.
01

1) • 싼 가격에 좋은 집을 구해서 다행이에요.
  • 면접시험을 잘 봐서 다행이에요.

2) • 수강 신청을 하려고 선배에게 물어봤어요.
  • 집을 구하려고 학교 근처 부동산에 물어봤어요.

3) • 한국 생활에 잘 적응했으면 좋겠어요.
  • 아르바이트를 구할 수 있으면 좋겠어요.

새 어휘 💡

부동산에 가다
항공편을 알아보다
장학금을 받다
수강 신청을 하다
아르바이트를 하다
한국어능력시험을 치다
외국인 등록증을 만들다

1. 다음 단어를 활용해서 문장을 완성해 보세요.

| 보다 | 배우다 | 준비하다 |
| 춥다 | 아프다 | 좋다 |
| 어렵다 |

1) 한국어를 배우**기는 했지만** 아직 부족해   .

2) _____   .

3) _____   .

4) _____   .

2. 다음을 보고 '-기는 하다'를 사용해서 상황에 맞는 대화를 완성해 보세요.

1)

요즘 하고 있는 일은 좀 어때?

열심히 준비하고 있기는 하지만
시간이 좀 걸릴 것 같아.

2) 그 책은 어렵지 않아?

_____
_____ .

3) 파티 준비는 잘되고 있어?

_____
_____ .

4) 한국어능력시험은 신청했어?

_____
_____ .

3. 다음의 상황을 보고 '-기는 하다'를 사용해서 이야기해 보세요.

1) 행정 직원 — 나

유학에 필요한 서류는 다 제출했지만 비자를
받는 데 시간이 더 필요하다고 이야기해 보세요.

직원: 졸업 증명서와 한국어능력시험 성적표는
다 냈지요?

나: _____
_____ .

2) 친구 — 나

요즘 일을 많이 하고 있어서 친구가 걱정을
합니다.

친구: 많이 피곤하지? 안 힘들어?

나: _____
_____ .

1. 다음 단어를 활용해서 문장을 완성해 보세요.

먹다	오다	고치다
운동하다	만들다	듣다
보다		

1) 가족들이 비행기를 타고 한국으로 오는 중이에요 .

2) _____ .

3) _____ .

4) _____ .

2. 다음을 보고 '-는 중이다'를 사용해서 유학 준비에 대한 이야기를 해 보세요.

서류를 준비하다	아르바이트를 하다	한국어를 공부하다
집을 알아보다	선배에게 물어보다	유학 사이트를 찾아보다

1) 비자 발급에 필요한 서류를 준비하는 중이에요 .

2) _____ .

3) _____ .

4) _____ .

3. 다음의 상황을 보고 대화해 보세요.

1) 선배 — 나(후배)

선배가 유학 준비 상황을 물어봅니다.
선배의 말에 대답해 보세요.

선배: 유학 준비한다고 정신이 없지? 요즘은 어떤 준비를 하고 있어?

나: _____
_____ .

2) 친구 — 나

나는 대학원 면접을 준비하고 있습니다.
어떻게 준비하고 있는지 이야기해 보세요.

친구: 대학원 입학 면접 준비는 잘하고 있어? 연구 계획도 이야기해야 하지?

나: _____
_____ .

1. 마리 씨가 궁금한 것이 있어 문의 전화를 하고 있어요. 다음을 잘 듣고 질문에 답하세요.

02

1) 마리 씨는 지금 누구와 전화를 하고 있어요?

2) 마리 씨는 무엇을 물어보고 있어요?

3) 대화가 끝나고 마리 씨는 무엇을 할까요?

2. 다음 대화를 잘 듣고 질문에 답하세요.

03

1) 들은 내용과 같으면 ○, 다르면 × 표시를 하세요.

① 여자는 대학원 입학 면접을 보고 있어요. (   )
② 여자는 대학원에서 번역을 공부하고 싶어 해요. (   )
③ 여자는 한국에 있는 대학원에 입학을 하고 싶어 해요. (   )

2) 다시 들으면서 중요한 내용을 메모해 보세요.

3) 여러분은 한국어를 배워서 어떤 일을 하고 싶어요? 왜 하고 싶어요?

1. 다음 글을 읽고 질문에 답하세요.

성공적인 한국 유학 생활

한국 유학 생활을 통해 효과적으로 한국어 학습을 하여 한국어 실력을 높이고, 인터넷으로 보던 한국 문화를 직접 체험하려는 외국인 유학생들이 크게 늘고 있다.

하지만 한국으로 유학을 오는 유학생들이 모두 성공적인 유학 생활을 하는 것은 아니다. 고향의 음식이나 친구, 가족을 그리워하거나, 한국의 생활 환경에 적응하지 못하는 학생도 있다. 또 학비나 생활비 등 경제적인 어려움을 겪을 수도 있다.

그럼 성공적인 한국 유학 생활을 하기 위해서는 어떤 것들을 준비해야 할까? 학비와 생활비, 기숙사비, 보험료 등 예상되는 유학 비용을 정하는 것부터 각 대학교가 제공하는 특별한 혜택에는 어떤 것이 있는지까지 알아봐야 한다. 유학 생활을 하면서 필요한 생활비를 마련하기 위해 교내에서 근로 활동을 한다거나 인턴십 프로그램 등의 대외 활동을 하는 것도 중요하다. 그리고 유학 생활을 마친 후 취업 등의 진로까지 고려해야 한다.

그래서 성공적인 한국 유학 생활을 한 선배나 멘토로부터 조언을 듣거나 유학원에 가서 상담해 보는 일 없이 무작정 한국으로 유학을 온다면 한국 유학 생활에 실패할 수도 있다. 유학 전문가와의 충분한 상담을 통해 자신에게 맞는 한국 유학 준비를 하는 것이 중요하다.

1) 유학 생활에서 예상되는 어려움은 뭐예요?

2) 성공적인 유학 생활을 하려면 어떤 것이 필요해요?

2. 위에서 이야기한 것 말고 또 어떤 것을 준비하면 좋을까요?

새 어휘

교내
대외 활동
진로
무작정
조언
전문가

1. 여러분이 생각할 때 해외 유학의 장점과 단점은 어떤 것들이 있어요?
유학 생활을 잘하기 위해 필요한 것들을 간단하게 메모해 보세요.

유학의 장점	• •
유학의 단점	• •
유학을 잘하기 위해 필요한 것	• •

2. 메모를 보고 해외에서 유학 생활을 할 때 필요한 것들에 대한 글을 써 보세요.

3. 쓴 내용을 발표해 보세요.

해외에서 유학을 할 때….

4. 다른 친구의 발표를 듣고 새롭게 알게 된 것을 메모해 보세요.

듣기
지문
3B

01 🔊 할아버지, 할머니 이야기도 들어 드렸어요

어휘와 표현 | 3번 | 6쪽

다음 표현을 듣고 따라 해 보세요.

1) • 여름 방학에 봉사 활동을 한 적이 있어요.
   • 혼자서 한 달 동안 배낭여행을 한 적이 있어요.
2) • 아르바이트를 했을 때 힘들기도 했지만 보람도 많이 느꼈어요.
   • 어학연수를 갔을 때 힘들기도 했지만 잊지 못할 경험도 많이 했어요.
3) • 새로운 경험을 하면서 방학을 알차게 보냈습니다.
   • 외국어를 공부하면서 방학을 알차게 보냈습니다.

듣기 | 1번 | 9쪽

안나 씨와 친구가 오랜만에 만나서 이야기해요. 다음을 잘 듣고 질문에 답하세요.

남자: 안나, 진짜 오랜만이다. 방학인데 요즘은 뭐 하고 지내?
안나: 지난주부터 인턴 활동 시작했어.
남자: 그래? 어디에서 하는데?
안나: 무역 회사에서 하고 있어. 내가 졸업하면 무역 회사에 취직하고 싶다고 했잖아. 그런데 마침 인턴 모집을 하고 있는 곳이 있어서 지원했는데 합격했어.
남자: 일은 어때? 힘들지는 않아?
안나: 생각보다 일이 많아서 바쁘더라고. 서류 정리도 하고 보고서 쓰는 것도 배우고 있어. 아, 한국 회사하고 일할 때 필요한 서류를 번역하는 일도 하고 있어.

듣기 | 2번 | 9쪽

다음을 잘 듣고 질문에 답하세요.

남자: 저는 국제 영화제에서 봉사 활동을 한 적이 있어요. 저는 한국어 통역을 맡아서 한국에서 오신 감독님을 도와 드리는 일을 했어요. 감독님을 영화관까지 안내해 드리기도 하고, 영화제 행사를 하는 이곳 저곳을 함께 다니면서 설명해 드리기도 했습니다. 1박 2일 동안 감독님과 함께 일하면서 한국어로 이야기를 많이 했는데요. 감독님께 한국 영화에 관심이 있는 사람들이 우리 나라에도 많다는 것을 알려 드릴 수도 있어서 좋았어요. 그리고 감독님께서 들려주시는 한국 영화 이야기도 정말 재미있었습니다. 무엇보다 제가 그동안 열심히 공부한 한국어를 사용할 수 있는 봉사 활동이라서 더 뿌듯했어요.

02 🔊 티켓을 구하는 게 쉽지 않았을 텐데 어떻게 구했어요?

어휘와 표현 | 3번 | 12쪽

다음 표현을 듣고 따라 해 보세요.

1) • 콘서트를 실제로 보니 정말 환상적이었어요.
   • 한국 전통 공연을 처음 봤는데 정말 감동적이었어요.
2) • 그 배우를 가까이에서 봤는데 정말 멋있더라.
   • 그 친구는 멀리서 봐도 키가 크더라.
3) • 이번에 개봉한 그 영화 봤어?
   • 이번에 새로 나온 그 노래 들어 봤어?

듣기 | 1번 | 15쪽

주노 씨와 마리 씨가 커버 댄스 대회에 대해 이야기해요. 다음을 잘 듣고 질문에 답하세요.

주노: 마리 씨, 팬클럽에서 커버 댄스 대회를 한다고 해요.
마리: 커버 댄스 대회요? 주노 씨 거기에 나가려고요?
주노: 아니요. 저는 춤 못 춰요. 근데 1등을 하면 유새이가 신는 운동화를 준대요.
마리: 어머, 정말이에요? 그 운동화는 구하기 어려운 건데.
주노: 마리 씨는 참가해 봐요. 춤을 잘 추잖아요. 1등 할 수 있을 거예요.
마리: 음. 하지만 대회에서 실수할까 봐 걱정이에요. 긴장되면 실수를 많이 할 텐데….
주노: 걱정하지 마세요. 연습을 많이 하면 실수하지 않을 거예요.
마리: 음. 좋아요. 주노 씨, 저 그러면 참가해 볼게요.
주노: 잘 생각했어요. 먼저, 어떤 노래에 춤을 출지 생각해 봐요.

듣기 | 2번 | 15쪽

다음 뉴스를 잘 듣고 질문에 답하세요.

남자: 여기는 지금 '유새이 커버 댄스 대회'가 진행되고 있는 세종 아트홀입니다. 많은 외국인 친구들이 커버 댄스 대회에 참가했는데요. 지금 여기에 1등을 한 분이 나와 있습니다. 그럼 소감을 들어 보도록 하겠습니다.
여자: 아, 제가 이렇게 큰 대회에서 1등을 해서 정말 기분이 좋습니다. 저

는 원래 춤을 못 췄는데 유새이를 좋아해서 춤도 좋아하게 되었습니다. 실수할까 봐 걱정도 많았지만 이번 대회를 준비하면서 정말 즐거웠습니다. 감사합니다.

남자: 네. 이번 댄스 대회에서 많은 외국인들이 참가한 것은 유새이가 한국을 넘어 해외에서도 그 인기가 대단하다는 것을 말해 주는 것 같습니다. 지금까지 세종 아트홀에서 전해 드렸습니다.

---

03 🔊 매운 음식을 진짜 잘 먹는구나

| 어휘와 표현 | 3번 | 18쪽 |

다음 표현을 듣고 따라 해 보세요.

1) • 싱겁게 먹는 것이 몸에 좋아요.
   • 아침에 일어나서 물을 마시는 것이 건강에 좋아요.
2) • 초콜릿과 같이 달콤한 음식을 좋아해요.
   • 케이크와 같이 부드러운 음식을 좋아해요.
3) • 부드러운 음식을 먹으면 속이 편안해져요.
   • 매운 음식을 먹으면 입안이 얼얼해져요.

| 듣기 | 1번 | 21쪽 |

수지 씨와 주노 씨가 맛집에 대해 이야기해요. 다음을 잘 듣고 질문에 답하세요.

수지: 주노, 여기 가 볼까? 에스엔에스(SNS)에서 맛집으로 유명한 곳이야.

주노: 맛집? 집이 맛있어? 무슨 말이야?

수지: 음식이 맛있기로 유명한 집을 맛집이라고 해. 요즘 맛집 찾아다니는 사람들이 많아.

주노: 아, 맛집이 그런 의미였구나. 그런데 나는 맛있는 음식을 먹으러 멀리 가거나 오래 기다리는 거 해 본 적이 없어. 수지, 너는 어때?

수지: 나는 맛집 찾아다니는 게 취미야. 별로 어렵지 않은 일인데 나를 행복하게 만들어 주니까.

주노: 그래도 나는 밥 한 끼 때문에 몇 시간씩 기다리는 건 못 할 거 같아. 여기서 밥 먹으려면 너무 오래 기다려야 할 거 같은데?

수지: 알겠어. 오늘은 다른 데서 먹자. 여기는 다음에 예약하고 와야겠어.

| 듣기 | 2번 | 21쪽 |

다음 대화를 잘 듣고 질문에 답하세요.

수지: 와, 이 해장국 정말 시원하다.

주노: 뭐라고? 뜨거운데 왜 시원하다고 하는 거야?

수지: 그게, 한국 사람들은 뜨거운 음식을 먹고 속이 개운해지면 시원하다고 말해.

주노: 그래? 재미있다. 나중에 나도 써 봐야지.

수지: 아, 시원하다는 표현은 먹을 때 말고도 쓸 수 있어. 예를 들어 뜨거운 물로 목욕을 할 때에도 시원하다라고 말해.

주노: 그건 또 왜?

수지: 따뜻한 물 속에 들어가면 몸의 긴장이 풀려서 편안해지니까.

주노: 한국어 표현들은 참 재미있는 게 많은 거 같아.

---

04 🔊 채소부터 씻어서 썰어 놓자

| 어휘와 표현 | 3번 | 24쪽 |

다음 표현을 듣고 따라 해 보세요.

1) 한국에서는 식사할 때 숟가락과 젓가락을 사용해요.
   한국에서는 밥을 먹을 때 숟가락을 사용해요.
2) 구운 만두보다 찐 만두를 더 좋아해요.
   생 토마토보다 익힌 토마토가 건강에 더 좋아요.
3) 차가운 밥을 전자레인지에 데워 먹으면 편리해요.
   고기를 자를 때 가위를 사용하면 편리해요.

| 듣기 | 1번 | 27쪽 |

안나 씨와 수지 씨가 한국 음식을 만드는 방법에 대해 이야기해요. 다음을 잘 듣고 질문에 답하세요.

안나: 와, 수지야, 떡볶이가 매콤하면서 달콤해. 내 입에 딱 맞아.

수지: 네가 좋아해서 다행이야. 만드는 방법이 어렵지 않지?

안나: 응. 생각보다 복잡하지 않네. 그런데 고추장이나 설탕을 얼마나 넣어야 하는 거야? 수지 넌 그냥 대충 넣는 것 같은데.

수지: 나는 요리할 때 계량스푼을 사용하지 않아.

안나: 그럼 어떻게 요리해? 맛을 내기 힘들 거 같아.

수지: 안나, 그게 바로 한국 사람들이 말하는 손맛이라는 거야. 경험으로 익히는 거지. 그래도 어느 정도 넣어야 하는지 숟가락으로 알려 줄게.

| 듣기 | 2번 | 27쪽 |

다음을 잘 듣고 질문에 답하세요.

남자: 늦은 밤에 먹는 음식을 '야식'이라고 합니다. 요즘 야식을 즐겨 먹는 사람들이 많습니다. 그런데 이러한 야식은 우리가 생각하는 것보다 몸에 안 좋은 영향을 끼칩니다. 우선 야식을 먹은 다음 날 우리는 평소보다 더 피곤함을 느낄 수 있습니다. 야식이 취침 시간에 영향을 주어 우리의 뇌와 몸이 충분히 쉴 수 없기 때문입니다. 또한 야식을 먹은 날은 나쁜 꿈을 꿀 수도 있습니다. 늦은 밤 식사는 위장에 부담을 주고, 정상적인 수면을 방해하기 때문입니다. 그리고 야식은 심장에 아주 안 좋은 영향을 줍니다. 오후 7시 이후에 저녁 식사를 하면 심장마비를 일으킬 가능성이 높습니다.

---

05 🔊 딴생각을 하다가 버스를 놓쳐 버렸어요

| 어휘와 표현 | 3번 | 30쪽 |

다음 표현을 듣고 따라 해 보세요.

1) 다음 주에 발표가 있는데 깜빡했어.
   숙제를 다 했는데 책상 위에 놓고 왔어.
2) 늦잠을 자서 버스를 놓쳤어요.
   계단에서 넘어져서 팔이 부러졌어요.
3) 지하철에 책을 놓고 내렸어요.
   친구 집에 핸드폰을 두고 왔어요.

재민 씨는 요즘 실수를 자주 해요. 다음을 잘 듣고 질문에 답하세요.

재민: 마리 씨, 저 요즘 정말 실수를 많이 하는 것 같아요. 오늘도 벌써 몇 번이나 실수를 했는지 모르겠어요.

마리: 실수를 할 때도 있지요.

재민: 아니에요. 요즘 자주 그래요. 며칠 전에는 회의 날짜를 깜빡하고 회의 자료를 준비 못 해서 혼났어요. 그리고 어머니 생신도 잊고 있다가 일주일 후에 기억이 났거든요.

마리: 그래요? 무슨 일이 있는 건 아니에요?

재민: 특별한 일은 없어요. 그런데 이상하게 집중이 안 되거나 기억을 못 할 때가 많아요.

마리: 요즘 휴대폰을 많이 쓰는 젊은 사람들에게 그런 경우가 많다고 들었는데, 혹시 재민 씨도 그런 거 아닐까요?

다음 뉴스를 잘 듣고 질문에 답하세요.

앵커: 최근 스마트폰 사용이 늘어나면서 '디지털 건망증' 증상이 심해지는 사람이 늘고 있습니다. 가족들의 전화번호를 기억하지 못하거나 스마트폰이 없으면 아는 길도 잘 찾지 못하는 경험을 해 본 적이 있으시다면 디지털 건망증일 가능성이 있습니다. 스스로 생각하고 기억하려고 노력하지 않고, 스마트폰을 사용해서 모든 것을 해결하면서 사람들의 기억력이 감소하는 것이 바로 '디지털 건망증'입니다. 이 증상을 해결하려면 정해진 시간 동안만 스마트폰을 사용하려는 등의 노력이 필요합니다.

06 제가 좀 참을걸 그랬어요

다음 표현을 듣고 따라 해 보세요.

1) 회의 때 실수가 좀 있던데 다음에는 조금 더 준비를 잘해 주세요.
   노래를 참 잘하던데 이번 대회에 한번 나가 보세요.
2) 너무 피곤해서 집에 가자마자 잠들었어요.
   화를 낸 게 미안해서 만나자마자 사과했어요.
3) 사과를 하고 싶은데 어떻게 해야 할지 모르겠어.
   친구하고 오해를 풀고 싶은데 어떻게 해야 할지 모르겠어요.

안나 씨와 유진 씨는 얼마 전에 싸웠어요. 다음을 잘 듣고 질문에 답하세요.

안나: 여보세요? 유진, 지금 잠깐 통화할 수 있어?

유진: 응. 무슨 일이야?

안나: 아직 화 많이 났어? 그때 내가 정말 미안했어. 변명 같지만 그때 다른 과제도 많고 아르바이트도 해야 해서 정신이 좀 없었어. 그래서 너한테 화를 낸 것 같아.

유진: 그랬어? 네가 바쁜 건 알고 있었지만 그래도 네가 갑자기 그렇게 화를 내니까 나도 사실 화가 났었어. 나도 그때 화를 내서 미안해. 내가 좀 참을걸 그랬어.

안나: 아니야, 네가 왜 미안해. 내가 미안하지. 이제 화 풀린 거지?

유진: 친구 사이에 화를 풀고 말고 할 것도 없어. 그럼 우리 내일 만나서 과제 준비하자. 이번엔 싸우지 말고 즐겁게 하자.

다음 뉴스를 잘 듣고 질문에 답하세요.

앵커: 누군가에게 사과를 하고 싶지만 용기가 없는 분들은 오늘 사과를 해 보는 건 어떨까요? 오늘 10월 24일은 '사과의 날'입니다. 사과가 열리는 계절인 10월에 둘이 사과를 하자는 의미의 날로, 사과하고 싶은 친구, 선생님, 가족에게 사과하고 화해와 용서를 구하는 날입니다. 사소한 오해로 불편한 사람에게 편지를 쓰고 맛있는 사과를 주면서 다시 예전처럼 좋은 관계로 만들 수 있는 기회입니다. 사과를 생각하고 있는 분들은 오늘 꼭 용기를 내 보세요.

07 캠핑을 같이 간다거나 친목 모임을 해요

다음 표현을 듣고 따라 해 보세요.

1) 마라톤을 좋아하는 사람들이 모여서 같이 운동을 해요.
   춤을 좋아하는 사람들이 모여서 같이 춤을 춰요.
2) 한 달에 한 번 동호회 모임을 해요.
   일주일에 한 번 정기적으로 동호회 모임을 가져요.
3) 동호회 사람들과 모여서 같이 운동도 하고 친목도 다져요.
   동호회 사람들과 모여서 여러 가지 정보를 공유해요.

주노 씨가 직장 동료와 이야기해요. 다음을 잘 듣고 질문에 답하세요.

지호: 주노 씨, 이따 퇴근하고 같이 저녁 먹으러 갈래요? 리사 씨하고 맛있는 거 먹으러 갈 건데 같이 가요.

주노: 미안해요. 저는 오늘 저녁에 독서 동호회 모임이 있어서요.

지호: 주노 씨 독서 동호회 열심히 나가네요. 책 읽는 거 정말 좋아하나 봐요.

주노: 책 읽는 것도 재밌는데 같이 모임 하는 사람들이 재미있거든요. 다음에 지호 씨도 같이 가 볼래요?

지호: 아무리 사람들이 재미있어도 독서 동호회에 나가려면 책을 읽어야 하잖아요. 저는 책도 좋지만 밖에 나가서 시간을 보내는 게 더 좋아요. 운동 동호회 같은 거 있으면 가입하고 싶어요.

주노: 아, 그럼 혹시 테니스는 어때요? 저랑 친한 마케팅팀 정혁 씨가 테니스 동호회 하는데 소개해 줄까요?

지호: 그래요? 어, 그런데 저 테니스 한 번도 쳐 본 적 없는데 괜찮을까요?

주노: 정혁 씨한테 연락해서 물어보면 어때요? 제가 연락처 알려 줄게요.

지호: 네. 그렇게 할게요. 고마워요.

다음 대화를 잘 듣고 질문에 답하세요.

지호: 여보세요? 저는 영업팀 이지호라고 하는데요. 테니스 동호회에 가입
　　　하고 싶어서 전화 드렸어요.

정혁: 아, 네. 안녕하세요? 마케팅팀 박정혁입니다.

지호: 혹시 테니스를 한 번도 쳐 본 적이 없어도 동호회에 가입할 수 있어요?

정혁: 그럼요. 저희 동호회 회원들이 가르쳐 드리니까 걱정하지 마세요. 테
　　　니스 초보 회원들도 많아요.

지호: 보통 얼마나 자주 모여요?

정혁: 일주일에 한 번 퇴근 후에 같이 테니스를 치고요, 그냥 만나서 같이
　　　밥을 먹는다거나 하는 친목 모임을 할 때도 있어요. 이번 주 수요일
　　　에 테니스 연습을 하니까 한번 나와 보세요.

---

08 🔊 일하느라고 바빠서 오랫동안 못 갔어요

다음 표현을 듣고 따라 해 보세요.

1) • 지난 휴가에 간 곳은 볼거리가 많아서 좋았어요.
　　• 지난 휴가에 간 곳은 사람들로 붐비지 않아서 좋았어요.
2) • 저는 이번 휴가 때 고향에 다녀올까 해요.
　　• 저는 이번 휴가 때 휴양지에 가서 쉴까 해요.
3) • 색다른 경험을 해 볼 수 있어서 좋았어요.
　　• 이국적인 풍경을 즐길 수 있어서 좋았어요.

재민 씨와 마리 씨가 한국 여행에 대해 이야기해요. 다음을 잘 듣고 질문에
답하세요.

재민: 마리 씨, 한국에 가면 뭐 하고 싶어요? 휴가 때 한국에 가서 뭐 할지
　　　같이 계획을 세워 봐요.

마리: 사실 저는 서울도 좋은데 다른 곳도 한번 가 보고 싶어요. 한국 드라
　　　마를 보면 자연 경관이 아름다운 곳이 많더라고요. 그런 곳에 가 보
　　　는 것도 좋을 것 같아요.

재민: 음. 그럼 순천에 가 볼까요? 순천만이라는 곳이 있는데 풍경이 아름
　　　다워서 유명해요. 그리고 한국의 옛날 마을도 있는데, 거기에서 드라
　　　마 촬영도 많이 한다고 해요.

마리: 와, 좋아요. 그런데 재민 씨, 거기는 서울에서 멀어요?

재민: 조금 멀지만 기차를 타고 갈 수 있어요. 서울에서 기차로 3시간쯤 걸
　　　려요.

다음 방송을 잘 듣고 질문에 답하세요.

여자: 꼭 필요한 정보만 쏙쏙 모아 소개하는 1분 생활 정보입니다. 오늘은
　　　휴가철을 맞이해서 여행에 도움이 되는 정보를 알려 드리려고 하는
　　　데요. 바로 '내일로'입니다. '내일로'는 정해진 기간 동안 원하는 만큼

기차를 탈 수 있는 특별한 기차표인데요. 일주일권과 3일권, 두 종
류가 있고, 일반 열차와 케이티엑스(KTX)를 모두 이용할 수 있습니
다. 게다가 학생이라면 할인된 가격에 구입할 수 있습니다. '내일로'
를 구입하고 싶은 분들은 기차역을 직접 방문하시거나 휴대폰 애플
리케이션을 이용하시면 됩니다. 이번 휴가에는 '내일로'와 함께 기차
를 타고 전국 이곳저곳을 둘러보는 배낭여행을 떠나 보시는 건 어떨
까요? 지금까지 1분 생활 정보였습니다.

---

09 🔊 두 사람이 많이 부러운 모양이에요

다음 표현을 듣고 따라 해 보세요.

1) • 신랑 신부가 정말 행복해 보여요.
　　• 축가를 부르는 친구들이 즐거워 보여요.
2) • 한국에서는 결혼할 때 한복을 입지 않아요?
　　• 대부분 프러포즈를 할 때 반지를 주지 않아요?
3) • 저는 예쁜 공원에서 결혼식을 하고 싶어요.
　　• 저는 결혼식에서 부모님께 감사한 마음을 전하고 싶어요.

마리 씨와 재민 씨가 '폐백'에 대해 이야기해요. 다음을 잘 듣고 질문에 답
하세요.

마리: 재민 씨, 저기 신랑 신부가 인사하는 거 봐도 돼요?

재민: 아, '폐백'요? 그럼요. 같이 가서 봐요.

마리: 그런데 '폐백'이 뭐예요?

재민: 신랑 신부가 서로 집안 어른들에게 인사를 드리는 거예요. 전통 혼례
　　　를 할 때 입는 한복을 입고 인사를 드리면 어른들은 좋은 말씀을 해
　　　주세요.

마리: 그렇군요. 어! 그런데 지금 신랑 부모님이 신랑 신부에게 뭘 던지는
　　　데요?

재민: 대추하고 밤이에요. 건강한 아이를 많이 낳으라고 던지는 거예요. 대
　　　추하고 밤을 많이 받으면 아이를 많이 낳는다고 해요.

다음 뉴스를 잘 듣고 질문에 답하세요.

앵커: 요즘 결혼식 모습이 다양해지고 있습니다. 오늘 아름다운 신랑 신부
　　　한 쌍이 신부의 집 마당에서 결혼을 한다고 합니다. 김유미 기자 전
　　　해 주시죠.

기자: 지금 결혼식을 하고 있는 이곳은 오늘의 신부인 김소영 씨의 집 마당
　　　입니다. 화려한 불빛도 꽃 장식도 없지만 신랑과 신부, 그리고 이들
　　　을 축하하기 위해 온 25명의 하객들도 모두 행복해 보입니다. 친구
　　　들이 축가를 불러 주고, 하객들이 축하 인사와 덕담을 건네며 두 시
　　　간 동안 결혼식이 여유롭게 진행됩니다. 신랑과 신부는 결혼식장에
　　　서 30분 만에 후다닥 진행되는 결혼식이 아닌 가까운 사람들과 즐길
　　　수 있는 결혼식을 하고 싶어 이런 결혼식을 준비했다고 합니다. 모두

가 즐겁고 행복한 시간을 보낼 수 있는 결혼식이었다고 하객들도 좋아했습니다.

10 🔊 떡국을 한 그릇 다 먹었더니 배가 불러요

어휘와 표현 | 2번 | 60쪽

다음 표현을 듣고 따라 해 보세요.

1) • 식사 다 했으면 차하고 한과 좀 드세요.
   • 한복 다 입었으면 차례를 지냅시다.
2) • 할머니 댁에 세배하러 언제 가요?
   • 명절 음식을 만들러 어디로 가요?
3) • 송편을 처음 먹어 봤는데 맛있더라고요.
   • 한복을 입어 봤는데 한복 색깔이 참 예쁘더라고.

듣기 | 1번 | 63쪽

마리 씨가 재민 씨의 할아버지 댁에 갔어요. 다음을 잘 듣고 질문에 답하세요.

할아버지: 어서 와요. 재민이 친구라고? 먼 길 오느라 고생 많았어요.
마리: 안녕하세요. 처음 뵙겠습니다. 저는 마리라고 해요. 설날이라서 세배 드리러 왔어요.
할아버지: 그래요. 재민이한테 연락 받았어요. 안으로 들어와서 앉아요.
(잠시 후)
마리: 할아버지. 새해 복 많이 받으세요.
할아버지: 그래요. 고마워요. 마리도 새해 복 많이 받고, 올해도 건강하고 행복하게 잘 지내요. 자, 여기 세뱃돈.
마리: 세뱃돈은 안 주셔도 되는데…. 감사합니다. 할아버지도 올해 더 건강하세요.
할아버지: 고마워요. 윷놀이도 하고 맛있는 것도 많이 먹고 가요.

듣기 | 2번 | 63쪽

다음 대화를 잘 듣고 질문에 답하세요.

유진: 안나!
안나: 응. 왜?
유진: 내 더위 사 가라!
안나: 유진, 그게 무슨 말이야?
유진: 오늘 정월 대보름이잖아. 수업 시간에 더위팔기라는 걸 배웠는데 이렇게 아침에 만난 사람에게 내 더위 사 가라고 말하면 여름에 더위를 먹지 않는다고 했어.
안나: 그래? 재밌는데! 그럼 이따가 수지 만나면 나도 더위팔기 해야지.

11 🔊 자격증 준비나 외국어 공부도 미리 해 두면 좋을 거야

어휘와 표현 | 3번 | 66쪽

다음 표현을 듣고 따라 해 보세요.

1) • 적성에 맞는 일을 찾는 것이 중요해요.
   • 졸업 전에 경력을 쌓는 것이 중요해요.
2) • 저는 면접시험에 자신이 없어요.
   • 한국어 발음에 자신이 없어요.
3) • 자기 소개서를 쓰는 일이 쉽지 않아요.
   • 많은 사람들 앞에서 발표하는 일이 쉽지 않아요.

듣기 | 1번 | 69쪽

주노 씨와 수지 씨가 면접에 대해 이야기해요. 다음을 잘 듣고 질문에 답하세요.

주노: 수지야, 이번에 서류 통과했다면서? 축하해.
수지: 아직 합격한 것도 아닌데 뭘. 그나저나 면접이 걱정이야.
주노: 왜? 취업 준비 많이 했잖아.
수지: 면접관 앞에 서면 긴장해서 아무 생각도 안 날 것 같아.
주노: 그럼 면접 연습을 해 보면 어때? 게시판에 보니까 취업을 준비하는 학생들을 위해서 모의 면접 특강이 열리던데. 거기서 연습하다 보면 실전에서 잘할 수 있을 거야.
수지: 그래? 지금 바로 알아봐야겠다.

듣기 | 2번 | 69쪽

다음을 잘 듣고 질문에 답하세요.

여자: 오늘은 면접을 잘 보는 방법 중 자세 및 태도에 대한 이야기를 해 보겠습니다. 우선 면접장에 들어갈 때에는 허리를 펴고 당당하게 미소를 지으며 들어가는 것이 좋습니다. 그래야 면접관에게 부드러운 인상을 줄 수 있습니다. 그리고 면접관과 눈을 맞춘 후에 눈을 쳐다보면서 큰 목소리로 인사말과 이름을 말해야 합니다. 이때에도 미소를 잃지 않는 것이 중요합니다. 그래야 면접관에게 자신감을 보여 줄 수 있습니다. 그리고 면접관의 질문에 대답할 때에는 손을 많이 움직이지 않는 것이 좋습니다. 손을 많이 움직이면 불안해 보이기 때문에 중요한 이야기를 할 때 한두 번 정도만 움직이는 것이 좋습니다. 이처럼 적절한 자세와 태도는 성공적인 면접을 위해 아주 중요합니다.

12 🔊 한국으로 유학을 가려고 준비하는 중이에요

어휘와 표현 | 3번 | 72쪽

다음 표현을 듣고 따라 해 보세요.

1) • 싼 가격에 좋은 집을 구해서 다행이에요.
   • 면접시험을 잘 봐서 다행이에요.
2) • 수강 신청을 하려고 선배에게 물어봤어요.
   • 집을 구하려고 학교 근처 부동산에 물어봤어요.
3) • 한국 생활에 잘 적응했으면 좋겠어요.
   • 아르바이트를 구할 수 있으면 좋겠어요.

마리 씨가 궁금한 것이 있어 문의 전화를 하고 있어요. 다음을 잘 듣고 질문에 답하세요.

유학원 직원: 여보세요? 세종유학원입니다.

마리: 안녕하세요? 한국에 있는 대학원에 유학을 가고 싶은데, 궁금한 것이 있어서요.

유학원 직원: 네. 어떤 것들을 알려 드릴까요?

마리: 음. 궁금한 것들이 많이 있는데요. 한국에 유학을 가려면 제가 어떤 것들을 준비해야 해요? 그리고 한국에 있는 대학원들은 어떤 장학 프로그램이 있는지 알고 싶어요.

유학원 직원: 먼저 어떤 대학교에서 어떤 전공을 공부할 것인지 잘 생각해야 해요. 학교마다 필요한 서류들이 조금씩 다르거든요. 그리고 장학 프로그램도 학교마다 다르기 때문에 우선 학교와 전공을 정해야 더 자세하게 알려 드릴 수 있어요. 언제 한번 저희 유학원으로 오시겠어요?

마리: 그럼 제가 가고 싶은 학교와 전공을 정하고 한번 찾아갈게요

다음 대화를 잘 듣고 질문에 답하세요.

남자: 지금부터 대학원 입학 온라인 면접을 시작하겠습니다. 우선 우리 학교에 지원하신 이유는 무엇입니까?

여자: 대학교 4학년 여름 방학 때 이 학교에서 교환 학생으로 공부했습니다. 그때부터 계속 여기에서 공부하고 싶었습니다.

남자: 우리 학교에 입학한 후의 계획이 무엇인지 이야기해 주시겠어요?

여자: 저는 한국어와 한국 영화를 정말 좋아합니다. 그래서 한국으로 유학을 가서 대학원에서 번역을 공부한 후에 한국 영화를 번역하는 사람이 되고 싶습니다. 그리고 나중에 세계에 한국 영화를 알리는 일을 하고 싶습니다.

남자: 네. 알겠습니다. 고생하셨습니다.

여자: 감사합니다.

모범답안 3B

 01 할아버지, 할머니 이야기도 들어 드렸어요

| 어휘와 표현 | 1번 | 6쪽 |

어학연수	외국어를 배우다, 외국 문화를 체험하다, 새로운 것을 깨닫다
아르바이트	식당에서/도서관에서/마트에서 아르바이트를 하다, 뿌듯하다
여행	기차를/자전거를 타고 여행하다, 걸어서 여행하다, 혼자서 여행하다, 잊지 못할 경험을 하다

| 문법 1 | 1번 | 7쪽 |

[예시]
2) 여러 번 들어도 무슨 말인지 모르겠어
3) 아무리 봐도 안 보여
4) 글 내용이 좋아도 맞춤법이 틀리면 점수가 깎여요

| 문법 1 | 2번 | 7쪽 |

[예시]
2) 음식이 매워도 먹을 수 있어요
3) 한국어를 몰라도 한국 노래 모임에 참가할 수 있어요
4) 수영을 못 해도 서핑을 배울 수 있어요

| 문법 1 | 3번 | 7쪽 |

[예시]
1) 영수증이 없어도 교환할 수 있어요
2) 나는 주말이어도 집에서 쉬는 것보다 밖에서 운동을 하거나 친구를 만나는 게 더 좋은 것 같아

| 문법 2 | 1번 | 8쪽 |

[예시]
2) 서점 손님에게 책을 찾아 드렸어요
3) 팀장님 일을 도와 드렸어요
4) 부모님 이야기를 들어 드렸어요

| 문법 2 | 2번 | 8쪽 |

[예시]
2) 오늘이 스승의 날이라서 선생님께 꽃을 드렸어요
3) 할머니가 안경이 어디에 있는지 찾지 못하셔서 할머니께 안경을 찾아 드렸어요
4) 동생이 수학 공부를 어려워해서 동생에게 수학을 알려 줬어요

| 문법2 | 3번 | 8쪽 |

[예시]
1) 제가 도와 드릴게요
2) 제가 가지고 있어요. 빌려 드릴게요

| 듣기 | 1번 | 9쪽 |

1) 무역 회사에서 인턴 활동을 하고 있어요.
2) 졸업하면 무역 회사에 취직하고 싶었는데 마침 인턴 모집을 하는 곳을 발견해서 하게 되었어요.
3) 서류 정리, 보고서 쓰기, (한국 회사하고 일할 때 필요한) 서류 번역 등을 해요.

| 듣기 | 2번 | 9쪽 |

1) ① ×   ② ○   ③ ○

| 읽고 말하기 | 1번 | 10쪽 |

1) 절에서 한국의 불교 문화를 체험하는 것이에요.
2) 명상, 108배, 발우 공양, 연등 만들기 등을 해요.
3) 바쁜 일상에서 벗어나서 자신에 대해 생각하며 휴식을 취할 필요가 있는 사람에게 추천하고 싶어요.

| 어휘와 표현 | 1번 | 12쪽 |

콘서트/공연	표를 예매하다, 표가 매진되다, 단체 응원을 하다
팬클럽	팬 미팅, 사인회, 팬클럽에 가입하다, 기념품을 구입하다, 커버 댄스를 추다
콘서트/공연 소감	감동적이다, 인상적이다, 환상적이다, 푹 빠져 있다

| 문법 1 | 1번 | 13쪽 |

[예시]

2) 공부하다 졸릴까 봐 음악을 듣고 있어

3) 저녁에 추울까 봐 난방을 켜 놨어요

4) 아이들한테 어려울까 봐 그림을 그려 봤어요

| 문법 1 | 2번 | 13쪽 |

[예시]

2) 실수할까 봐 열심히 준비해 두려고요

3) 졸까 봐 커피를 많이 마시고 있어요

4) 늦을까 봐

| 문법 1 | 3번 | 13쪽 |

[예시]

1) 참가해 보고 싶기는 한데 실수할까 봐 걱정이 돼

2) 오후에 혹시 비가 올까 봐 가지고 왔어요

| 문법 2 | 1번 | 14쪽 |

[예시]

2) 비가 올 텐데 우산을 들고 가

3) 너한테는 신발이 클 텐데…

4) 백화점 물건은 아무래도 비쌀 텐데 그냥 마트에 가요

| 문법 2 | 2번 | 14쪽 |

[예시]

2) 매울 텐데 괜찮겠어요

3) 좋아할 텐데 불고기 말고 다른 걸 먹는 게 어때요

4) 어려웠을 텐데 열심히 준비했나 봐요

| 문법 2 | 3번 | 14쪽 |

[예시]

1) 그 라면은 많이 매울 텐데 다른 걸 먹는 게 어때

2) 내일은 아마 매진될 텐데 오늘 미리 하자

| 듣기 | 1번 | 15쪽 |

1) ① ×   ② ×   ③ ○   ④ ○

2) 마리 씨는 춤을 잘 추기 때문에 1등을 할 수 있을 것 같아서 나가 보라
고 했어요.

3) 긴장해서 실수를 할까 봐 걱정하고 있어요.

| 듣기 | 2번 | 15쪽 |

1) 외국인들이 참가했어요.

2) 1등을 했어요.

3) 댄스 대회에 많은 외국인들이 참가했기 때문에 대단하다고 생각해요.

| 읽고 말하기 | 1번 | 16쪽 |

1) 감동과 신선함을 주었어요.

2) ① ○   ② ○   ③ ×   ④ ×

03 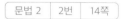 매운 음식을 진짜 잘 먹는구나

| 어휘와 표현 | 1번 | 18쪽 |

[예시]

부드럽다	수프, 케이크
얼큰하다	김치찌개
매콤하다	떡볶이
달콤하다	초콜릿
담백하다	죽

| 문법 1 | 1번 | 19쪽 |

[예시]

2) 친구와 싸웠거든요

3) 배탈이 났어요. 아이스크림을 많이 먹었거든요

4) 소민 씨는 피곤해요. 늦게까지 일하거든요

| 문법 1 | 2번 | 19쪽 |

[예시]

1) 대중교통 애플리케이션 / 버스, 지하철, 택시를 쉽게 이용할 수 있거든
요.

2) 물 / 등산을 하다 보면 목이 마르거든요.

3) 마늘 / 마늘을 사용한 요리가 많거든요.

| 문법 1 | 3번 | 19쪽 |

[예시]

1) 제주도에 가고 싶어. 바다를 보고 싶거든

2) 가볍고 땀 배출이 잘 되거든요

문법 2 | 1번 | 20쪽

[예시]

2) 계속 노는구나

3) 뛰어오는 애들이 정말 귀엽구나

4) 이 동네는 볼거리가 정말 많구나

문법 2 | 2번 | 20쪽

[예시]

1) 저 가수는 노래를 잘 부르는구나./춤을 잘 추는구나.

2) 바닷가에서 사람들이 즐겁게 노는구나.

3) 강아지들이 정말 귀엽구나.

4) 이 김밥 정말 맛있구나.

문법 2 | 3번 | 20쪽

[예시]

1) 정말 대단하구나

2) 잘 치는구나

듣기 | 1번 | 21쪽

1) ① ○   ② ×   ③ ×

2) 음식이 맛있는 것으로 유명한 집을 '맛집'이라고 해요.

듣기 | 2번 | 21쪽

1) 한국어 표현에 대해 이야기해요.

2) 뜨거운 음식을 먹고 속이 개운할 때, 뜨거운 물로 목욕해서 긴장이 풀리고 편안할 때 사용해요.

읽고 말하기 | 1번 | 22쪽

1) · 곡물 음식이 많고 간장, 된장 등 곡물 발효 음식이 발달했다

 · 주식과 부식이 뚜렷하게 구분된다

 · 음식을 모두 한 상에 차려 놓고 먹는다

04 ✎ 채소부터 씻어서 썰어 놓자

어휘와 표현 | 1번 | 24쪽

식사할 때	포크, 그릇, 접시, 숟가락, 젓가락
요리할 때	칼, 냄비, 주걱, 도마, 국자, 프라이팬, 전기밥솥, 가스레인지, 전자레인지

문법 1 | 1번 | 25쪽

[예시]

2) 멀미할까 봐 멀미약을 사 놓았어요

3) 고맙다는 편지를 써 놓았어요

4) 차를 미리 빌려 놓았어요

문법 1 | 2번 | 25쪽

[예시]

2) 과일과 음료를 준비해 놓았다

3) 써 놓았다(트리에 달아 놓았다)

4) 파티를 위한 음악을 틀어 놓았다

문법 1 | 3번 | 25쪽

[예시]

1) 번역 애플리케이션을 설치해 놓는 게 좋아

2) 필요한 자격증을 따 놓는 게 좋아

문법 2 | 1번 | 26쪽

[예시]

2) 운동한 다음에

3) 영화를 본 다음에 밥을 먹자

4) 손을 씻은 다음에 얼굴을 씻어요

문법 2 | 2번 | 26쪽

[예시]

1) 채소와 소스를 프라이팬에 볶아요. 채소와 소스를 볶은 다음에 면을 넣고 같이 볶아요

2) 비행기 표를 예매한 다음에 호텔을 예약해요. 호텔을 예약한 다음에 짐을 싸요

문법 2 | 3번 | 26쪽

[예시]

1) 드라마에 대해 먼저 발표한 다음에 영화에 대해 발표하는 게 어떨까요?

2) 집을 깨끗하게 청소한 다음에 장을 보러 갈까?

듣기 | 1번 | 27쪽

1) 떡볶이를 만들고 있어요.

2) ① ×   ② ○   ③ ×

듣기 | 2번 | 27쪽

1) 늦은 밤에 먹는 음식이에요.

2) 위장에 부담을 주고 정상적인 수면을 방해하며 심장에 안 좋은 영향을 줘요.

읽고 말하기 | 1번 | 28쪽

1) 함께 먹으면 건강에 좋은 영향을 주거나 더 맛있는 음식을 말해요.

2)

궁합이 좋은 음식	효과
토마토와 올리브유	토마토에 있는 영양분이 몸으로 더 잘 흡수된다.
녹차와 고추	녹차의 효능(다이어트에 도움, 암 예방)이 두 배가 된다.
우유와 꿀	잠이 오지 않을 때 우유에 꿀을 넣어 마시면 몸의 긴장을 풀어 주어 잠잘 때 도움이 된다.
초콜릿과 사과	심장을 건강하게 만들어 주는 초콜릿의 효능이 더 높아진다.

05 ✏️ 딴생각을 하다가 버스를 놓쳐 버렸어요

어휘와 표현 　1번 　30쪽

날짜/약속	잊어버리다, 깜빡하다
우산/지갑	잃어버리다, 놓고 오다, 두고 오다, 망가뜨리다, 부러지다
버스/지하철	넘어지다, 부딪히다, 놓치다, 밟다
컵/접시	떨어뜨리다, 깨뜨리다

문법 1 　1번 　31쪽

[예시]
2) 집에 오자마자
3) 친구가 졸업하자마자
4) 일이 끝나자마자

문법 1 　2번 　31쪽

[예시]
1) 아침에 일어나자마자 핸드폰을 봐요
2) 수업이 끝나자마자 밥을 먹어요
3) 방학하자마자 여행을 가요
4) 월급을 받자마자 쇼핑을 해요

문법 1 　3번 　31쪽

[예시]
1) 고향에 도착하자마자 연락할게!
2) 졸업하자마자 1년 동안 여행을 할 계획입니다

문법 2 　1번 　32쪽

[예시]
2) 아무도 없는 줄 알고 전등을 꺼 버렸어요
3) 직장을 나와 버렸어요

4) 버스가 가 버렸어

문법 2 　2번 　32쪽

[예시]
1) 그냥 와 버렸어요
2) 화를 내 버렸어요
3) 그냥 새로 사 버렸어요

문법 2 　3번 　32쪽

[예시]
1) 배가 너무 고파서 내가 먹어 버렸어
2) 버스를 놓쳐 버려서 늦었습니다. 죄송합니다

듣기 　1번 　33쪽

1) ① X 　　　② O 　　　③ X 　　　④ X
2) 휴대폰을 많이 사용하기 때문이 아닐까 생각해요.

듣기 　2번 　33쪽

1) 스마트폰을 많이 사용하는 사람들의 기억력이 감소하는 것이에요.
2) ·증상: 가족들의 전화번호를 기억하지 못하거나 스마트폰이 없으면 아는 길도 잘 찾지 못하는 것 등이에요.
　·원인: 사람들이 스마트폰을 사용해서 모든 것을 해결하면서 기억력이 감소하기 때문이에요.
3) 정해진 시간 동안만 스마트폰을 사용하려는 등의 노력을 해야 해요.

읽고 말하기 　1번 　34쪽

1)

	지우개 달린 연필	포스트잇
발명한 사람의 직업	화가	연구원
발명한 계기	모자를 쓴 자신의 모습을 보고	연구원의 동료가 책을 읽다가 읽은 부분까지 표시해 놓을 수 있는 방법을 고민하다가
발명의 결과	돈을 많이 벌게 됨.	지금까지도 사람들의 사랑을 받는 성공적인 발명품이 됨.

06 ✏️ 제가 좀 참을걸 그랬어요

어휘와 표현 　1번 　36쪽

1)	2)	3)	4)
다투다	말실수하다	오해를 풀다	화해하다
사과하다	후회하다	변명하다	용서하다

[예시]

2) 그 가방을 오래 썼었어요

3) 작년에 한라산에 갔었어

4) 오빠가 젊은 시절 가수였었어

[예시]

1) 머리가 길었었어요

2) 못 먹는 음식이 많았었어요

3) 작곡가가 되고 싶었었어요

4) 운동을 못했었어요

[예시]

1) 예전에는 식당이랑 카페가 많이 없었었는데 지금은 많아졌네

2) 몇 년 전에는 있었었는데 지금은 구할 수 없습니다

[예시]

2) 할인 판매할 때 살걸 그랬어요

3) 좀 더 일찍 출발할걸 그랬어요

4) 자세히 물어볼걸 그랬어요

[예시]

1) 공부를 열심히 할걸 그랬어요

2) 친구에게 물어보고 살걸 그랬어요

3) 빨리 고백할걸 그랬어요

[예시]

1) 나도 신청을 해 볼걸 그랬네

2) 실수를 해서 죄송합니다. 연습을 더 많이 할걸 그랬어요

1) 사과하려고 전화했어요.

2) ① ○   ② ×   ③ ○

3) 과제 준비를 하기로 했어요.

1) 사과가 열리는 계절인 10월에 사과하고 싶은 사람에게 화해와 용서를 구하는 날이에요.

2) 사과하고 싶은 사람에게 편지를 쓰고 맛있는 사과를 주는 게 좋아요.

1) 스마트폰 A314 제품 액정을 만들 때 A125 제품에 들어가는 부품을 사용하였어요.

2) ① ×   ② ×   ③ ○   ④ ○

07 ✏️ 캠핑을 같이 간다거나 친목 모임을 해요

동호회 활동 시작 전	동호회를 만들다, 동호회에 가입하다, 회원을 모집하다
동호회에 들어간 후	동호회에 나가다, 모임을 하다, 모임에 나가다, 회비를 내다, 정기적으로 모임을 가지다, 동호회 활동을 적극적으로 하다
동호회 활동의 장점	인맥을 쌓다, 정보를 공유하다, 친목을 쌓다

[예시]

2) 우산이 없어 가지고 비를 맞고 왔어요

3) 비빔밥이 맛있어 가지고 두 그릇이나 먹었어요

4) 옷이 너무 커 가지고 바꿔야겠어요

[예시]

2) 갑자기 비가 와 가지고 비를 맞았어요

3) 넘어져 가지고 핸드폰이 깨졌어요

4) 추워 가지고 감기에 걸렸어요

[예시]

1) 갑자기 일이 생겨 가지고 못 갈 것 같아

2) 제가 어제 휴대폰을 떨어뜨려 가지고 휴대폰이 안 켜져요

[예시]

2) 남은 과일이 많으면 잼을 만든다거나 갈아서 주스로 마셔요

3) 일기를 쓴다거나 명상을 해요

4) 주말에는 잠을 많이 잔다거나 밀린 집안일을 해요

[예시]

2) 새벽까지 시끄럽게 떠든다거나 쓰레기를 버리면 안 된다

3) 휴대폰을 사용한다거나 이야기를 하면 안 된다

[예시]

1) 한국어로 일기를 쓴다거나 다른 사람의 글을 똑같이 따라 써 보는 게 좋아요

2) 보통 운동을 한다거나 동호회 활동을 하면서 시간을 보내

듣기 | 1번 | 45쪽

[예시]

1) 지호: 리사 씨와 저녁을 먹으러 갈 거예요.

　　주노: 독서 동호회 모임에 갈 거예요.

2) 책 읽는 것도 재미있고 같이 모임을 하는 사람들이 재미있어서 좋아해요

3) 운동 동호회예요.

듣기 | 2번 | 45쪽

1) ① ✕　　　② ✕　　　③ ○

읽고 말하기 | 1번 | 46쪽

[예시]

1) 클래식 악기 동호회 활동을 하고 있어요.

2) 즐거워하고 만족스러워하고 있어요.

 08  일하느라고 바빠서 오랫동안 못 갔어요

어휘와 표현 | 1번 | 48쪽

관광지	관광지를 둘러보다, 기념품을 사다, 현지 문화를 체험하다, 사람들로 붐비다
휴양지	재충전을 하다, 여유를 즐기다, 여유롭다, 자연 경관이 뛰어나다
유적지	색다른 경험을 하다

문법 1 | 1번 | 49쪽

[예시]

2) 게임하느라고

3) 발표를 준비하느라고

4) 한자가 많은 책을 읽느라고

문법 1 | 2번 | 49쪽

[예시]

1)

① 비자 신청을 하느라고 못 갔어요

② 몸이 아파서 못 갔어요

2)

① 밤새 영화를 보느라고 못 잤어요

② 어제 늦게 커피를 마셔서 잠을 못 잤어요

3)

① 오랜만에 만난 친구랑 이야기하느라고 영화 보러 못 갔어요

② 수업이 늦게 끝나서 영화 보러 못 갔어요

문법 1 | 3번 | 49쪽

[예시]

1) 스마트폰을 보느라고 내릴 역을 지나쳤어

2) 지난번에 주신 일을 처리하느라고 아직 완성하지 못했습니다

문법 2 | 1번 | 50쪽

[예시]

2) 힘들기는요. 시험 과목이 적어서 괜찮아요

3) 비싸기는요. 최고급 재료를 쓰니까 그런 거예요

4) 고맙기는. 다음에도 필요하면 또 부탁해

문법 2 | 2번 | 50쪽

[예시]

1) 미안하기는요. 주노 씨 일이라면 당연히 도와야죠

2) 고맙기는! 도움이 되었다면 다행이야

3) 잘하기는요. 요리를 배우기 시작한 지 얼마 안 됐어요

4) 힘들기는요. 바빠도 손님이 없을 때보다는 힘이 나요

문법 2 | 3번 | 50쪽

[예시]

1) 바쁘기는. 이제 거의 다 마무리해서 서류만 보내면 끝이야

2) 좁기는요. 혼자 살기 딱 좋은데요?

듣기 | 1번 | 51쪽

1) 자연 경관이 아름다운 곳에 가고 싶어 해요.

2) 순천에 가자고 했어요.

3) 풍경이 아름다운 곳으로 유명하고 드라마 촬영도 많이 하는 곳이라서 가자고 했어요.

듣기 | 2번 | 51쪽

1) ① ✕　　　② ✕　　　③ ○

읽고 말하기 | 1번 | 52쪽

1) 휴가를 떠나기 전에 더 행복하다고 느껴요.

2) 휴가를 너무 꼼꼼하게 계획하면 오히려 재미가 줄어들 수도 있어요.

3) 집중력이 높아지고 스트레스는 낮아져요.

| 어휘와 표현 | 1번 | 54쪽 |

결혼 전	연애하다, 청첩장, 상견례를 하다, 프러포즈를 하다
결혼식	주례사를 하다, 축의금, 피로연, 신랑/신부, 폐백을 드리다, 축가를 부르다, 신랑 신부 입장, 혼인 서약을 하다, 신혼여행을 가다

| 문법 1 | 1번 | 55쪽 |

[예시]
2) 잃어버린 가방을 찾은 모양이야
3) 무척 바쁜 모양이에요
4) 뜨개질을 해서 직접 만든 모양이에요

| 문법 1 | 2번 | 55쪽 |

[예시]
1) 공사를 하는 모양이에요
2) 다리를 다친 모양이에요
3) 여행을 가는 모양이에요
4) 배터리가 없는 모양이에요

| 문법 1 | 3번 | 55쪽 |

[예시]
1) 오늘 많이 바쁜 모양이구나
2) 고향에서 부모님이 오신 모양이에요

| 문법 2 | 1번 | 56쪽 |

[예시]
2) 오늘같이 좋은 날만 계속됐으면 해
3) 형이 불같이 화를 내서 무서웠어요
4) 선물을 준다기에 번개같이 달려가 받았어요

| 문법 2 | 2번 | 56쪽 |

[예시]
1) 저랑 자매같이/형제같이 닮았어요
2) 친구같이 편해요
3) 바다같이 마음이 넓어요
4) 가수같이 노래를 잘해요

| 문법 2 | 3번 | 56쪽 |

[예시]
1) 개그맨같이 재미있는 사람이에요
2) 그림같이 아름다운 곳으로 가고 싶어요

| 듣기 | 1번 | 57쪽 |

1) 신랑 신부가 집안 어른들께 인사를 드리는 거예요.
2) 한복을 입어요.
3) 대추하고 밤을 던져요. 건강한 아이를 많이 낳으라는 의미예요.

| 듣기 | 2번 | 57쪽 |

1) 신부의 집 마당에서 했어요.
2) 30분 만에 후다닥 진행되는 결혼식이 아닌 가까운 사람들과 즐길 수 있는 결혼식을 하고 싶어서예요.

| 읽고 말하기 | 1번 | 58쪽 |

1)
① 이해심이 넓은 사람
② 표현을 잘 하는 사람
③ 꿈이 있는 사람

| 어휘와 표현 | 1번 | 60쪽 |

1)	2)	3)
덕담을 하다 세배를 하다/드리다 세뱃돈을 주다/받다	달맞이를 하다 소원을 빌다	윷놀이를 하다

| 문법 1 | 2번 | 61쪽 |

[예시]
2) 정말 맛있던데요
3) 사람이 많던데요

| 문법 1 | 2번 | 61쪽 |

[예시]
2) 급하게 뛰어가던데요
3) 결혼을 하셨던데요

| 문법 1 | 3번 | 61쪽 |

[예시]
1) 바다가 정말 예쁘던데? 또 가고 싶어
2) 외국인 친구들의 이야기를 듣는 것이 정말 재미있던데

| 문법 2 | 1번 | 62쪽 |

[예시]
2) 내용을 물어봤더니

3) 서둘러 출발했더니
4) 신나서 노래를 불렀더니

문법 2 | 2번 | 62쪽

[예시]

1) 한국 드라마를 보면서 대화를 따라 했더니
2) 운동을 꾸준히 했더니
3) 친구의 고민을 들어 줬더니
4) 새로 생긴 마트에 가 봤더니

문법 2 | 3번 | 62쪽

[예시]

1) 나는 야식을 끊었더니 생활비가 줄었어
2) 며칠 전 우산이 없어서 비를 맞았더니 기침이 나기 시작했어요

듣기 | 1번 | 63쪽

1) ① ✕   ② ○   ③ ✕   ④ ✕
2) 마리: 새해 복 많이 받으세요.
　　할아버지: 새해 복 많이 받고, 올해도 건강하고 행복하게 잘 지내요.

듣기 | 2번 | 63쪽

1) "내 더위 사 가라!"라고 했어요.
2) '더위팔기'를 해서 여름에 더위를 먹지 않기 위해 말했어요.

읽고 말하기 | 1번 | 64쪽

1) 8월의 중간, 가을의 중간이라는 의미예요.
2) 송편을 빚어 차례를 지내고 맛있는 음식을 많이 먹어요.
3) 한가위처럼 풍족하고 행복했으면 좋겠다는 의미예요.

11 ✏ 자격증 준비나 외국어 공부도 미리 해 두면 좋을 거야

어휘와 표현 | 1번 | 66쪽

취업을 준비할 때	면접 연습, 외국어 공부, 자격증을 따다, 인턴십을 하다, 봉사 활동, 경력을 쌓다
회사에 지원할 때	입사 지원서를 내다, 이력서를 쓰다, 자기 소개서를 쓰다, 입사 시험을 치다, 면접을 보다
직장을 구하는 조건	적성에 맞다, 복지가 좋다, 연봉이 높다

문법 1 | 1번 | 67쪽

[예시]

2) 책을 다 읽어 간다

3) 밥을 다 먹어 가요
4) 숙제가 다 끝나 가요

문법 1 | 2번 | 67쪽

[예시]

1) 거의 끝나 가요. 이것만 하고 잘게요
2) 거의 마무리되어 가. 오늘 안에는 끝날 것 같아
3) 거의 다 만들어 가요. 금방 나와요

문법 1 | 4번 | 67쪽

[예시]

1) 거의 다 끝나 갑니다. 이제 마무리만 하면 돼요
2) 외국어 공부나 자격증같이 취업에 필요한 것들을 차근차근 준비해 왔어

문법 2 | 1번 | 68쪽

[예시]

2) 생신 선물을 미리 사 두었다
3) 냄새가 날까 봐 뚜껑을 닫아 두었다
4) 바로 가서 먹을 수 있게 식당을 예약해 두었다

문법 2 | 2번 | 68쪽

[예시]

1) 외국어 공부를 해 두면 좋아요
2) 인턴 경력을 쌓아 두면 좋아요
3) 신뢰를 쌓아 두는 게 필요해요

문법 2 | 3번 | 68쪽

[예시]

1) 살 집을 알아봐 두는 게 좋을 거야
2) 미리미리 해 두면 스트레스도 안 받고 좋잖아

듣기 | 1번 | 69쪽

1) ① ○   ② ✕   ③ ✕
2) 모의 면접 특강을 알아볼 거예요.

듣기 | 2번 | 69쪽

1) 자세와 태도에 신경을 써야 해요.
2) 불안해 보이기 때문이에요.

읽고 말하기 | 1번 | 70쪽

1) 서류 전형 후 면접을 봐요.
2) 첫인상에 신경 써야 해요.
3) 밝은 얼굴로 미소를 지으면 좋아요.

어휘와 표현   1번   72쪽

유학을 준비할 때	비자를 발급 받다, 재학 증명서를 떼다, 항공편을 알아보다, 등록금을 내다, 비자 면접을 보다, 유학원을 알아보다
유학 생활을 할 때	부동산에 가다, 장학금을 받다, 수강 신청을 하다, 아르바이트를 하다

문법 1   1번   73쪽

[예시]

2) 책을 보기는 했지만 잘 기억이 안 나

3) 조금 춥기는 하지만 참을 수 있어요

4) 산에 가는 게 좋기는 하지만 힘들기도 해

문법 1   2번   73쪽

[예시]

2) 어렵기는 하지만 재미있어

3) 잘되고 있기는 한데 사람들이 많이 올지 모르겠네

4) 신청하기는 했는데 공부를 많이 못했어

문법 1   3번   73쪽

[예시]

1) 네. 다 제출하기는 했는데 비자를 받는 데 시간이 더 필요한 상황입니다

2) 힘들기는 한데 그래도 일이 재미있어서 괜찮아

문법 2   1번   74쪽

[예시]

2) 노트북을 고치는 중이에요

3) 김밥을 만드는 중이야

4) 이어폰으로 음악을 듣는 중이에요

문법 2   2번   74쪽

[예시]

2) 생활비를 벌기 위해 아르바이트를 하는 중이에요

3) 한국어능력시험을 보기 위해 한국어를 공부하는 중이에요

4) 유학을 가려고 유학 사이트를 찾아보는 중이에요

문법 2   3번   74쪽

[예시]

1) 이제 서류 제출은 모두 끝나서 항공편을 알아보는 중이에요

2) 응. 그래서 요즘 관심 있는 연구 주제를 고민하고 있는 중이야

듣기   1번   75쪽

1) 유학원 직원과 전화하고 있어요.

2) 유학을 위해 준비해야 하는 것들과 대학원의 장학 프로그램에 대해 묻고 있어요.

3) 가고 싶은 학교와 전공을 정하고 유학원에 찾아갈 거예요.

듣기   2번   75쪽

1) ① ○   ② ○   ③ ○

읽고 말하기   1번   76쪽

1) 고향의 음식이나 친구, 가족에 대한 그리움/생활 환경에 적응하지 못함/학비나 생활비 등 경제적인 어려움 등이에요.

2) 예상되는 유학 비용 정하기, 학교가 제공하는 특별한 혜택 알아보기 등이 필요해요.

어휘와 표현 색인
3B

자료
출처
3B

| 게티이미지코리아 |

1과 10쪽_1번 좌   8과 51쪽_1번   9과 57쪽_1번   10과 60쪽_1번; 64쪽_1번 (하, 좌로부터)②

| 셔터스톡 |

스피커 아이콘
말풍선
문서 아이콘
연필 아이콘
전구 아이콘

1과 10쪽_1번 우; 11쪽   2과 17쪽   3과 21쪽_1번 (좌로부터)①; 23쪽   4과 25쪽_2번; 26쪽_2번 (상, 좌로부터)①/②/③; 29쪽   5과 34쪽; 35쪽; 36쪽   6과 41쪽   7과 43쪽_2번 1)/2)/4); 47쪽   8과 48쪽; 53쪽   9과 59쪽   10과 61쪽; 64쪽_1번 상/(하, 좌로부터)①   11과 71쪽   12과 72쪽; 73쪽; 77쪽   부록 79쪽

※ 이 교재는 산돌폰트 외 Ryu 고운한글돋움OTF, Ryu 고운한글바탕OTF 등을 사용하여 제작되었습니다. Ryu 고운한글돋움OTF, Ryu 고운한글바탕OTF 서체는 서체 디자이너 류양희 님에게서 제공 받았습니다.
※ 강승희, 곽명주, 박가을, 이재영, 정원교 작가와 함께 작업했습니다.

메모